DEVENEZ GUÉRISSEUR

Claude Delcourt

DEVENEZ GUÉRISSEUR

QUÉBEC AGENDA
1250, 2e Rue, Parc industriel
C.P. 3500, Sainte-Marie-de-Beauce
G6E 3B2

Dépôt légal : 3e trimestre 1988
Bibliothèque nationale du Québec
Bibliothèque nationale du Canada

ISBN 2-8929-4113-X

Imprimé au Canada

PRÉFACE

Une thérapie de l'énergie vivante

La pensée est une énergie vivante qui peut réveiller les possibilités énormes et inutilisées de la nature humaine. Cette énergie peut agir à distance sur un plan individuel ou collectif. Il en va d'ailleurs ainsi de tout le dynamisme intérieur de l'organisme humain : il peut déclencher des forces qui dorment.

Comme le disait mon vieil ami d'Île-de-France, feu le R. P. Jean Jurion, avec qui j'ai eu la joie d'exercer le magnétisme et la radiesthésie au cours de l'année 1973 : « Le magnétisme est comme une sorte de fluide tonifiant ou calmant que chacun possède plus ou moins. La maman qui berce son enfant et passe doucement sa main sur le bobo, le tribun qui électrise les foules, l'infirmière qui parle calmement ou qui pose la main sur le front fiévreux du malade, le chanteur qui impose le silence et fait suspendre les respirations, tous, en plus de leur technique spécifique, possèdent un magnétisme qui calme et détend ou excite et enthousiasme. »

Le magnétisme n'est donc pas un pouvoir « mystérieux ». Mais dans le domaine qui nous préoccupe, il n'est pas douteux que la magnétothérapie a servi de repaire à des charlatants et à des marchands d'illusions. C'est la raison pour laquelle l'*Ordre des naturothérapeutes du Québec* a recensé les praticiens du magnétisme sérieux, compétents et honnêtes, afin de protéger le public contre les abus de tout genre.

On reconnaît le véritable magnétiseur au fait qu'il met en évidence les propriétés vitalisantes et équilibrantes (guérissantes, en somme) de l'organisme en général et du système nerveux en particulier. Il agit en rechargeant de façon momentanée le système défaillant d'une personne, ce qui permet ensuite à l'organisme et surtout aux forces nerveuses (le pouvoir guérisseur étant inné) d'agir pour rétablir l'ordre.

Enfin, il ne suffit pas de posséder de l'énergie magnétique. Il faut l'entretenir et la développer suffisamment pour pouvoir en faire une application bénéfique. Pour pratiquer le magnétisme, il faut une bonne santé et une grande maîtrise de soi. En outre, il faut une bonne technique d'apprentissage et de la pratique pour développer sa méthode personnelle.

C'est ce que mon confrère Claude Delcourt désire pour tous ceux et celles qui le veulent aussi, et pour qui il a écrit : *Le magnétisme humain guérit ! Devenez guérisseur.*

Jacques Baugé-Prévost, N.D., président,
Ordre des naturothérapeutes du Québec, Inc.

- Enseigner la maladie, c'est facile.
- Détecter la maladie, c'est facile.
- Donner des pilules, c'est facile.
- Prescrire des médicaments, c'est facile.
- Guérir, c'est souvent possible... et tous les êtres humains possèdent certaines des qualités requises pour y arriver.
- Malheureusement, le magnétisme est peu connu et n'est pas très à la mode.
- Il y a eu et il y a trop de gens qui se disent magnétiseurs et qui ne connaissent pas l'abc du magnétisme.
- Il y en a aussi beaucoup qui se croient investis d'un pouvoir spécial... et qui ne sont en fait que des exploiteurs de la souffrance, de la naïveté et, disons-le, de la bêtise humaine!

Le magnétisme est le premier des agents guérisseurs. Il fait partie intégrante de la nature humaine et ne fait appel à aucun agent chimique. Il est donc pleinement naturel. Il a donné naissance à toutes les techniques de santé connues ou à venir : médecine, hypnothérapie, chiropraxie, massothérapie, acupuncture, etc. La chirurgie est un monde à part, bien sûr, mais elle pourrait recourir au magnétisme pour l'anesthésie. Il est malheureux de constater la méconnaissance, pour ne pas dire le mépris de la médecine officielle envers un moyen de guérison aussi efficace.

Le magnétisme est une force que chacun possède à des degrés divers. Il devrait être enseigné à l'école afin de vaincre une fois pour toutes la drogue et toutes les formes d'intoxication.

Il est faux de prétendre que seuls ceux qui ont des connaissances médicales peuvent se servir du magnétisme pour atténuer, soulager ou faire disparaître la douleur ou guérir certaines maladies de façon définitive. Bien sûr, il faut garder une certaine prudence : l'art de la guérison n'est pas à la portée du premier venu. Mais ce qu'on doit retenir, c'est qu'il faut cesser de courir à l'hôpital pour le plus petit malaise. Il faut cesser d'avoir peur et, au premier mal de tête, penser qu'une maladie grave est en train de se développer. Plus on s'éloignera des experts de la maladie, que l'on nomme aujourd'hui « experts de la santé », mieux on se portera, moins on courra le risque de se faire intoxiquer...

Pour être en santé, ne courez pas chez le médecin... Allez-y en marchant, le plus lentement possible. Vous aurez peut-être la chance de vous sentir mieux et d'éviter de devenir « vraiment » malade.

Le but de cet ouvrage est d'aider le plus de personnes possible à ne plus considérer la maladie comme une sorte de nécessité, une chose inévitable. Bien sûr, il arrive qu'on se sente malade, qu'on « file un mauvais coton », comme on dit, mais il ne faut pas pour autant se croire gravement atteint, d'une maladie grave ou incurable... Il faut cesser de se plaindre au moindre bobo. Il suffit parfois d'un peu de repos et d'air frais pour guérir.

Lorsque le médecin venait à la maison quand j'étais enfant, je me souviens que sa méthode consistait à minimiser le mal. L'effet psychologique était extraordinaire : c'était 80 pour cent de la guérison. Au lieu de sombrer dans la peur ou l'attente de la mort, nous savions que nous irions mieux dans un jour ou deux et que nous pourrions à nouveau aller jouer dehors : nous étions déjà guéris !

Il faut revenir à cette attitude positive au lieu de se complaire à raconter ses malaises, à croire que l'on est gravement malade, et que la mort nous attend au prochain tournant...

Le magnétisme procure une détente, une relaxation et un soulagement qui permettent au magnétisé de chasser la douleur mieux que les remèdes connus, généralement source d'intoxication.

En résumé, le magnétisme est un moyen naturel d'amélioration de la santé mis à notre disposition par le Créateur. Nous n'avons qu'à nous en servir.

Plus vous magnétiserez, plus vous aurez de magnétisme. Moins vous utiliserez votre magnétisme, moins vous en aurez... La Nature est ainsi faite : plus nous nous servons des moyens qu'elle met à notre disposition, meilleurs nous devenons. Par conséquent, cessons d'avoir peur et utilisons les moyens naturels de santé, si nous ne voulons pas nous perdre dans le labyrinthe des drogues.

En certains milieux, on objectera que le magnétisme n'est que du charlatanisme parce qu'il n'est pas prouvé scientifiquement. Mais qu'est-ce donc qu'un « charlatan » ? Selon *Quillet*, un charlatan est un vendeur de drogues. Par conséquent, celui qui pratique le magnétisme n'est pas un charlatan, car son comportement et sa technique excluent toute drogue, sous quelque forme que ce soit. Je vous laisse deviner *qui* prescrit les drogues, donc *qui* sont les charlatans... Rappelons qu'il faut cependant être réaliste et ne pas croire que le magnétisme peut guérir tous les maux : la thérapie universelle et infaillible n'existe pas encore et n'existera sans doute jamais. C'est là que les corps médicaux ont tort, en croyant et en essayant de nous faire croire qu'eux seuls possèdent la vérité.

CHAPITRE I

Le magnétisme dans notre vie

« Le Créateur n'a rien oublié.
Rendons-lui cet hommage. »

Avez-vous déjà vu une aurore boréale ? Si vous habitez sous une latitude septentrionale, vous avez peut-être admiré plus d'une fois les lumières multicolores qui parent le ciel au début du printemps et en automne. Un phénomène semblable se produit également dans le ciel de l'hémisphère sud : c'est l'aurore australe.

Même si vous n'habitez pas une région où l'on peut voir des aurores polaires, vous avez sans doute déjà utilisé le téléphone, écouté la radio, regardé la télévision ou envoyé un télégramme. Vous avez sûrement utilisé un ascenseur, roulé en voiture ou voyagé en métro. Vous possédez aussi sans doute un appareil électroménager tel qu'une machine à laver ou un ventilateur électrique.

Mais qu'y a-t-il de commun entre ces objets et une aurore polaire, vous demandez-vous ? Aucun ne pourrait exister sans une force mystérieuse que l'on appelle *magnétisme.*

Le magnétisme est un phénomène aussi utile qu'étrange. Les savants ne sont pas encore en mesure de l'expliquer entièrement, mais ils peuvent en expliquer les effets. C'est pourquoi les inventeurs ont pu mettre au point des milliers de façons d'exploiter le magnétisme.

La découverte du magnétisme

Un aimant est un morceau de métal ayant la propriété d'attirer ou de repousser des objets de fer ou d'acier, sans les toucher. Il se présente sous différentes formes, dont les plus répandues sont la barre ou le fer à cheval.

La force invisible que renferme l'aimant est ce que l'on appelle le magnétisme. Le « champ magnétique » est le voisinage dans lequel s'exercent les forces magnétiques de l'aimant. On ne peut déceler la présence d'un champ magnétique par les sens : on ne peut le toucher, le voir, l'entendre, le sentir ni le goûter. Le seul moyen de le connaître, c'est d'en étudier les effets.

L'homme observait déjà les effets du magnétisme à une époque très reculée. Le terme « magnétisme » dériverait d'une région d'Asie mineure, la Magnesia, où les Anciens avaient découvert le minerai de fer magnétique. Aujourd'hui, cet oxyde naturel de fer magnétique est appelé « magnétite ».

Les Grecs et les Romains croyaient que les aimants possédaient une puissance surnaturelle. Ils fabriquaient des amulettes et des bagues de magnétite pour s'attirer les faveurs des personnes de l'autre sexe. Les prêtres païens introduisaient des aimants dans leur coiffure pour mieux entendre la voix des dieux. On attribuait en outre à la magnétite pulvérisée le pouvoir de guérir le rhumatisme et la calvitie.

Au cours du moyen âge, on découvrit que l'une des extrémités de la curieuse pierre se dirigeait toujours vers le nord. En suspendant une pierre d'aimant à une ficelle, les marins fabriquèrent un type de boussole primitive. Par la suite, on constata que l'aimant s'arrêtait toujours dans la direction nord-sud, même si on le faisait pivoter plusieurs fois. On comprit finalement que cet étrange phénomène était dû à la terre elle-même.

La terre est un aimant

L'aimant le plus considérable que l'homme connaisse est la terre elle-même. En effet, la terre est entourée d'un champ magnétique maintenu en place, semble-t-il, par une force puissante située au centre de la planète. La principale source du magnétisme terrestre serait située dans les noyaux de la terre constitués, croit-on, d'une combinaison de fer et de nickel. Ces noyaux subissent une pression énorme et sont extrêmement chauds. Certains supposent que le mouvement lent du noyau intérieur dans le noyau extérieur, et probablement aussi les mouvements de ce dernier, produisent le champ magnétique entourant la terre.

Jusqu'à quelle distance le champ magnétique terrestre s'étend-il dans l'espace ? Selon le *Times* du 22 avril 1966 : « La forme du champ magnétique terrestre — celle d'une comète — est due aux vents solaires, ce flot de particules électrisées émises continuellement par le soleil à des vitesses allant de 1 000 000 à 25 000 000 km à l'heure. Du côté de la terre, qui est la plus rapprochée du soleil, le vent solaire comprime le champ magnétique en une sorte de coquille arrondie qui s'étend sur 65 000 km environ dans l'espace. De l'autre côté, ce champ forme une longue queue s'étendant sur des centaines de milliers de kilomètres. »

Le vent solaire exerce donc sur le champ magnétique un effet très semblable à celui qu'il exerce sur la queue d'une comète. En effet, sous l'influence de ce vent, la queue d'une comète est toujours dirigée à l'opposé du soleil.

Le magnétisme et la force de gravitation

Il ne faut pas confondre le magnétisme avec l'attraction universelle. Signalons en passant que les savants connaissent moins bien cette dernière. Mais grâce à des études approfondies, ils ont pu distinguer certaines différences entre les deux. Un aimant, par exemple, n'attire que des substances ayant des propriétés magnétiques, tandis que la force de gravitation attire tous les objets, quelle que soit leur nature. Un aimant n'attirera pas un morceau de bois, mais ce dernier sera attiré vers le sol si on le laisse tomber.

Autre différence : il n'est pas question de pôles dans la force de la gravitation. Les objets sont attirés vers la terre, quelle que soit la direction vers laquelle ils sont orientés. Par contre, les aimants ont un pôle nord et un pôle sud, et chacun d'eux n'attire que le pôle opposé d'un autre aimant. Deux pôles de même nom se repoussent.

En outre, la force de gravitation de la terre est beaucoup plus puissante que son attraction magnétique. D'après les connaissances actuelles de la science, ces deux forces travaillent indépendamment l'une de l'autre. Il n'existe aucun rapport entre elles.

L'aimantation permanente et l'aimantation temporaire

La force magnétique de la terre et d'autres aimants exerce une influence profonde sur la vie de l'être humain. Elle est à l'origine de l'invention de nombreux objets, dont l'un des plus utiles est l'électro-aimant, sur lequel sont fondées des milliers d'autres inventions.

L'électro-aimant est composé généralement d'une barre de fer doux sur laquelle est enroulé un fil métallique. Lorsqu'un courant électrique traverse ce fil, les lignes de force du champ magnétique se concentrent dans la barre. Quand on coupe le courant, le fer se désaimante. On conçoit l'utilité de cet instrument sur les chantiers de construction pour soulever de gros objets en fer ou en acier. Dès que le courant est coupé, l'électro-aimant se désaimante, laissant retomber l'objet soulevé.

La différence entre un aimant permanent et un aimant temporaire réside dans l'alignement des champs magnétiques des atomes. Dans un aimant permanent, le pôle nord de tous les atomes est orienté de façon permanente dans la même direction et le pôle sud, dans la direction opposée.

D'autres substances possédant les caractéristiques voulues s'aimantent au contact d'un aimant permanent ou — comme nous l'avons vu — peuvent être aimantées au moyen d'un courant électrique. Lors de cette aimantation appelée « induite », les atomes sont alignés de façon fortuite. L'aimantation disparaît dès qu'on éloigne la substance de l'aimant permanent ou du courant électrique, d'où le nom « d'aimant temporaire ».

Chose étonnante, quel que soit le nombre de fois qu'un aimant permanent est utilisé pour aimanter d'autres substances, il ne perd jamais la moindre parcelle de sa propre aimantation.

L'électricité

À mesure qu'augmentèrent les connaissances concernant l'exploitation du magnétisme terrestre, on découvrit la possibilité de produire un courant électrique en maintenant un fil métallique en mouvement dans un champ magnétique. Pour produire l'énergie électrique, il faut donc simplement trois facteurs : 1) un aimant, 2) un conducteur électrique et 3) le mouvement.

Aujourd'hui, les installations complexes qui produisent l'électricité de nos villes sont dotées d'énormes dynamos qui utilisent des aimants longs d'au moins trois ou quatre mètres, ainsi que d'immenses armatures sur lesquelles sont enroulées des milliers de tonnes de fils métalliques. Ces armatures, faites d'un métal possédant les propriétés voulues, tournent sans cesse, grâce à des turbines actionnées par l'eau ou la vapeur. La rotation des armatures dans le champ magnétique produit de l'électricité dans les fils qui y sont enroulés. Le courant passe dans un collecteur, puis dans les fils conducteurs, et est ensuite acheminé vers les usines et les foyers. Sans aimant, il serait impossible de produire de l'électricité, et sans l'existence du magnétisme terrestre, il n'y aurait pas d'aimant.

Les moteurs électriques fonctionnent aussi grâce au magnétisme. Ils actionnent quantité d'appareils et de machines : ventilateurs, machines à laver, réfrigérateurs, foreuses, machines à écrire, ascenseurs, trains, rames de métro, automobiles, etc. Quant au fonctionnement du moteur électrique, on se souvient que les pôles magnétiques semblables se repoussent tandis que les pôles contraires s'attirent. Un moteur électrique, c'est un aimant qui tourne à l'intérieur d'un autre aimant, à mesure que les pôles se repoussent et s'attirent tour à tour. L'un de ces aimants est toujours un électro-aimant, ce qui permet d'arrêter le moteur ou de le remettre en marche, en coupant le courant ou en le rétablissant. Sans l'aimant, les moteurs électriques n'existeraient pas.

La télévision n'existerait pas non plus sans le magnétisme. Dans la télévision, des aimants traduisent l'énergie électrique en énergie lumineuse, visible. Tout d'abord, dans le studio, une caméra de télévision est braquée sur le spectacle à transmettre. La lumière reflétée par les divers éléments de l'image traverse l'objectif de la caméra et frappe un écran à l'intérieur du tube de prise de vue. Là, un « canon à électrons » projette un faisceau d'électrons sur l'écran. Ce faisceau « balaie » l'écran une trentaine de fois par seconde. Les mouvements du faisceau sont commandés par des électro-aimants. La lumière et l'ombre agissent de façon différente sur le faisceau électronique. Ces différences de luminosité sont transformées par un électro-aimant en ondes d'intensité et de longueurs différentes, qui sont transmises par l'émetteur.

Le poste émetteur consiste en un grand tube électronique semblable à celui de la caméra. Il possède également un canon à électrons commandé par des électro-aimants, qui balaie l'écran à l'intérieur du tube. L'avant du tube récepteur est fait d'une substance chimique qui brille avec plus ou moins d'intensité. Les variations d'intensité sont provoquées par le faisceau électronique magnétique et correspondent exactement aux ondes électromagnétiques transmises du studio. C'est ainsi que l'image est reconstituée.

CHAPITRE II

Qu'est-ce que le magnétisme humain ?

« *Aux innocents, les mains pleines !* »

La radio fonctionne aussi grâce au magnétisme. Le microphone du studio, tout comme celui du téléphone, traduit les ondes sonores en impulsions électriques. Mais au lieu d'être transmises par fil, ces impulsions sont diffusées sous forme d'ondes radio ou ondes électromagnétiques. Lorsque ces ondes atteignent le poste récepteur, un électro-aimant actionné par des dispositifs électroniques fait vibrer un diaphragme, ce qui produit les ondes sonores, à peu près de la même façon que le récepteur téléphonique.

Le magnétisme joue également un rôle dans l'exploitation de l'énergie atomique. En effet, à l'aide d'électro-aimants, de gigantesques machines, appelées « briseurs d'atomes », communiquent à des particules atomiques des vitesses approchant celle de la lumière.

Les admirables aurores polaires sont visibles grâce uniquement au magnétisme terrestre. Lorsque les flots de particules électrisées provenant du soleil atteignent l'atmosphère terrestre, elles sont attirées vers la surface de la terre le long des lignes de force du champ magnétique de la planète. Ces particules entrent en collision avec les molécules de l'air, qu'elles font vibrer. Ces molécules émettent les lumières rouges, blanches, bleues et vertes des aurores polaires, qui sont visibles surtout sous les latitudes septentrionales et australes, où le champ magnétique est le plus fort.

La prochaine fois que vous aurez l'occasion de parler au téléphone, d'écouter la radio, de regarder la télévision, d'envoyer un télégramme, d'utiliser un moteur ou un appareil électrique ou d'admirer une magnifique aurore polaire, rappelez-vous que rien de tout cela n'existerait si Dieu n'avait créé le magnétisme.

Après tant de preuves de l'existence du magnétisme, peut-on se demander : « Pourquoi le magnétisme ? » Je ne crois pas. Le magnétisme est là, il existe, il est dans notre vie, il est en nous. Pourquoi lui faire la guerre? Pourquoi l'ignorer? Bien des gens adoptent une attitude négative envers le magnétisme. Cela ne doit pas nous surprendre, dans ce monde bouleversé dans lequel nous vivons. Rejeter le magnétisme, même en partie, c'est de la folie. Espérons que nous n'avons pas encore atteint ce degré d'aberration mentale. Le magnétisme humain ne doit pas être mis de côté. Au contraire. Il doit être plus connu et plus répandu que jamais. Il doit être étudié et propagé, et il doit servir l'être humain. C'est une force et cette force doit être de plus en plus répandue, et elle le sera, si nous nous en servons.

CHAPITRE III

Comment devenir magnétiseur : les qualités requises

« *Qui veut la fin prend les moyens.* »

Le magnétisme était connu des Anciens. Chez les Celtes, il était considéré comme un catalyseur de forces. Plus près de nous, Mesmer (1738-1815), le père moderne du magnétisme, eut de nombreux adeptes et émules, tels que les frères Durville, le colonel Charcot, Paul-Clément Jagot, etc., qui expérimentèrent différents phénomènes psychiques. Certains d'entre eux sont devenus de remarquables thaumaturges.

Malheureusement, certains adeptes voulurent transformer le magnétisme en une science occulte, une sorcellerie, qui serait l'apanage de quelques-uns. C'est ainsi qu'on en vint à croire que la technique avait été transmise par des maîtres, en passant par les sorciers et les sorcières. Il n'en est rien, mais cette attitude de quelques illuminés retarda la connaissance de ce merveilleux moyen de guérison. Néanmoins, la route était tracée et aujourd'hui encore on peut connaître et apprécier la grande valeur de cette technique.

Le magnétisme est la propriété que possèdent les corps vivants ou inanimés de propager une radiation subtile, comparable à l'électricité à basse tension qui produit le champ magnétique de l'aimant naturel. Il est appelé aussi « fluide vital universel ».

Le magnétisme représente une source d'électricité à l'intérieur de notre corps, ou encore une force d'énergie — car nous possédons tous un fluide magnétique, malheureusement pas développé. Tout le monde est donc « magnétique ». Chez la plupart, l'émission est faible, mais l'entraînement le renforce. Après quelques exercices, vous aurez suffisamment de force magnétique pour obtenir des effets surprenants. Le magnétisme soulage toujours et il arrive souvent qu'il guérit les douleurs et les maladies. Il régularise également les fonctions organiques et améliore la circulation sanguine.

Quant au fluide magnétique, il pourrait être comparé à des gouttes d'eau épaisses s'échappant du bout des doigts. Il se manifeste de différentes façons. Lorsque votre magnétisme commencera à se développer, vous allez vous en rendre compte : en faisant vos passes magnétiques, vous sentirez un genre de picotement au bout des doigts. Il est possible également que vous ressentiez une très grande chaleur, notamment dans le dos. Ne vous alarmez pas, c'est très bon signe : ces sensations seront la confirmation que votre fluide magnétique se manifeste et produit des effets.

On ne sait pas si ce fluide est d'origine biologique, psychique ou physique. Certains sujets le perçoivent d'une manière tactile, sensorielle ou auditive. Il a la particularité d'influencer autrui, par attraction ou répulsion, suivant les polarités de l'expérimentation et de son sujet. Il peut donc influer sur le physique, le comportement, le caractère et le subconscient du sujet.

Le fluide magnétique peut être transmis à un malade : il s'agit en ce cas d'une véritable transfusion vitale. On observe aussi des états somnambuliques, de sommeil provoqué, de léthargie ou de catalepsie.

Le magnétisme devrait être un instrument de travail pour les psychologues et les psychiatres. Par son effet sédatif sur le système nerveux, il aiderait les patients à mieux diagnostiquer leurs problèmes. Car le malade connaît très bien le problème, la mauvaise habitude, le traumatisme ou la phobie dont il souffre. Lorsqu'il est magnétisé, il a une meilleure perception et il lui est alors plus facile de découvrir l'origine psychosomatique de son mal. En effet, lorsqu'ils sont en état de détente, les agités, les hypernerveux, etc., s'expriment en général plus facilement. Le fluide magnétique se propage physiquement par l'extrémité des doigts, la face palmaire des mains et des pieds et par les yeux. Il imprègne l'eau, le coton, etc.

Pour développer sa puissance magnétique et en arriver à bien magnétiser, il est nécessaire d'avoir une bonne discipline corporelle. En tant qu'instrument de guérison, le magnétisme humain ou animal a survécu à des siècles de mise en veilleuse. Il serait donc sage d'en reconnaître la force en prenant conscience que la nature ne chôme jamais et n'est jamais en grève...

Les origines du magnétisme moderne remontent à Frantz Anton Mesmer, médecin allemand. (Le mesmérisme est l'ensemble des idées de Mesmer concernant le magnétisme). Les disciples de Mesmer furent même emprisonnés, mais plusieurs réussirent des choses étonnantes, des guérisons spectaculaires. Malgré les réticences des académies de médecine, ces guérisons eurent des échos parmi les malades et la population en général — ce qui permit au magnétisme de se propager jusqu'à nos jours. Il y a évidemment encore beaucoup de chemin à parcourir, mais il en a été ainsi dans le cas des dentistes, des optométristes, des chiropraticiens, etc. Malgré l'ignorance coûteuse du corps médical, peut-être les magnétiseurs seront-ils un jour traités avec plus d'égards, avant d'obtenir un jour leur reconnaissance officielle.

Le magnétisme est une technique naturelle de santé et une technique de guérison. Bien sûr, il ne guérit pas tous les maux, mais il a un effet bénéfique et il assure une guérison totale dans bien des cas. Ce n'est donc pas une technique mystérieuse, occulte, ni ésotérique, mais tout simplement une technique naturelle de guérison, qui devrait être à la portée de tous. C'est la prescription par excellence pour éliminer ou réduire sensiblement l'importance d'une industrie qui se rit des gens : la pharmacopée — cette faucheuse des équilibres, cette artiste de l'escroquerie, qui ment, leurre et endort nos charlatans ; cette artiste de la pilule, qui détruit dans son cortège une somme incroyable d'énergies humaines...

Plusieurs trouveront cette diatribe exagérée, mais l'évidence saute aux yeux : le nombre des hôpitaux, des foyers ou maisons de convalescence ne cesse d'augmenter et pourtant, il est toujours inférieur à la demande, malgré une population stagnante. Sans compter le nombre d'enfants et de jeunes en mauvaise santé, sans commune mesure avec le pourcentage de la population. La jeunesse devrait être la vitalité même. Comment expliquer que tant d'enfants soient mal portants, sinon par la mauvaise habitude que plusieurs parents ont prise de donner des pilules à propos de tout et de rien. Cette attitude a conditionné la jeunesse à accepter d'être toujours sous traitement au moindre malaise. Comment s'étonner ensuite de la faiblesse physique et du manque de résistance de nos jeunes ?

Certains peuvent penser que j'exagère, que la réalité n'est pas si sombre. Ils se trompent : l'intoxication est considérable. La situation est tellement grave que des campagnes de publicité invitent la population à se faire examiner. Saviez-vous qu'un nombre incalculable de vendeurs de drogues se déplacent tous les jours d'un bureau de médecin à l'autre, d'une officine pharmaceutique à l'autre, pour vendre une camelote dont nous sommes les perpétuels cobayes ?

Rappelons que l'OMS (Organisme mondial de la santé) ne recommande qu'une *cinquantaine* de médicaments de base, alors que les multinationales de l'industrie pharmaceutique en ont fait breveter des milliers... Est-ce normal ? Nos politiciens sont les seuls capables d'arrêter cette orgie. Ils devraient mettre un terme à cette folie. Un peuple malade coûte très cher. On peut le constater dans le budget de l'État, qui engloutit des sommes astronomiques pour obtenir des résultats dérisoires. Des montants exorbitants sont dépensés en pure perte. Il serait grand temps que le peuple se réveille. Il est important de résister à l'habitude que l'on a prise, sous prétexte de prévention, de faire subir des examens de toutes sortes à des gens qui ne se sentent pas malades. On se rit de nous ! La prévention consiste d'abord et avant tout à assainir nos habitudes de vie en mangeant mieux et en moins grande quantité, en observant les règles d'hygiène, en consommant moins d'alcool, en combattant les drogues sous toutes ses formes, y compris les pilules dites « calmantes » vendues sous l'appellation de Valium, Serax, Librium, etc. Ces agents supposément médicaux causent autant de ravages que la marijuana et autres hallucinogènes.

Il me semble important de rappeler qu'après avoir assisté à des séances de magnétisme pendant six ans, les enquêteurs de l'Académie de médecine de France ont constaté les effets ou phénomènes suivants :

1. Le contact des mains et certains gestes effectués à courte distance du corps — que les magnétiseurs nomment « passes » — sont les moyens les plus fréquemment employés pour transmettre l'action du magnétiseur au magnétisé.

2. Ces moyens visibles ne sont toutefois pas toujours nécessaires, car le regard fixe a souvent suffi à produire les phénomènes chez les magnétisés.

3. Le temps à transmettre l'influx magnétique varia d'une minute à une heure selon le cas et les sujets.

4. Le magnétisme n'a pas ou peu d'influence sur les personnes saines et son influence n'est pas égale sur tous les malades.

5. Certains effets observés dépendent uniquement du magnétisme et ne peuvent se produire sans lui.

6. Le sommeil provoqué plus ou moins rapidement est un effet réel du magnétisme.

7. Une fois qu'une personne a plongé dans le sommeil magnétique, il n'y a pas nécessité, dans le futur, de recourir ni au contact, ni aux

passes pour le magnétiseur, les yeux de ce dernier suffisant à déclencher le phénomène, même à distance.

8. L'action à distance paraît ne pouvoir s'exercer avec succès que sur des personnes qui ont déjà été magnétisées.

9. Durant le sommeil magnétique, les magnétisés ont toujours conservé les facultés qu'ils possèdent à l'état de veille. Leur mémoire paraît plus fidèle et plus grande, vu qu'ils se souviennent, avec des détails choquants, de tous les faits passés.

10. Une personne en état somnambulique provoqué indiqua rigoureusement les symptômes de la maladie dont se plaignaient trois personnes avec lesquelles elle avait été mise en relation magnétique. Nous devons ajouter que nos investigations en ce sens furent nombreuses.

Plusieurs autres phénomènes furent constatés et soumis à l'Académie. Les académiciens furent bouleversés devant le nombre impressionnant de preuves fournies par leurs propres enquêteurs, mais ils choisirent de les destituer en prétendant qu'ils avaient été dupés. Ils ne publièrent pas le rapport, par crainte du ridicule.

On constate une fois de plus que le ridicule ne tue pas, quelle que soit l'époque à laquelle nous vivons, et que la lâcheté est de tout temps...

Être magnétiseur, ce n'est pas un don inné. Tout le monde peut apprendre à magnétiser. Pour devenir un bon magnétiseur, il est important de cultiver votre savoir, de soigner votre tenue vestimentaire, votre apparence — non seulement pour être attrayant, mais parce que l'apparence exerce un effet puissant sur les sujets magnétisés : ils seront impressionnés par votre apparence digne. Pour cela, une tenue vestimentaire correcte est de mise. Pas de tenue voyante ou extravagante. Vous devez aussi vous entraîner à avoir une démarche aisée. Quant à votre voix, elle doit être suggestive, mais sans affectation. Votre regard doit être assuré, mais sans insistance exagérée, pour ne pas être interprété comme une impolitesse. Lors de vos entretiens, fixez toujours la partie inférieure du visage de votre interlocuteur lorsqu'il vous parle. Donnez-lui l'impression de vous intéresser à ce qu'il vous dit. Soyez attentif et retenez ce qu'il vous dit. Laissez-le parler sans l'interrompre.

Le moment venu, fixez votre vis-à-vis entre les sourcils et la racine du nez. Donnez-lui l'impression d'être une « force en repos ». Soyez courtois, parlez avec tact, soyez clair dans vos propos. Évitez tout signe d'impatience, d'agitation, pour ne pas disperser votre fluide.

Vous devez développer la maîtrise de vous-même pour éviter l'impression désagréable de gêne que les sujets timides ressentent en présence d'êtres doués d'influence.

Regardez le consultant tout en l'écoutant parler, comme il a été mentionné ci-haut. Évitez d'être assis en contrebas. Bien sûr, ce n'est pas du jour au lendemain que vous allez devenir « fascinant » et disposer des gens à votre gré... Tel n'est pas le but recherché. Mais vous gagnerez en influence, vous serez écouté, sympathique, on recherchera votre compagnie. De plus, grâce à cet agent universel qu'est le magnétisme, les événements se chargeront d'eux-mêmes de vous faire voir sous un jour favorable. On comprendra dès lors que les pensées positives dénuées d'esprit de mal, de jalousie, de méchanceté que vous propagez sont bénéfiques et l'on vous en respectera davantage.

Les procédés de magnétisation sont simples. Après quelques semaines d'utilisation quotidienne, ils deviendront aisés, familiers et sembleront se dérouler facilement et normalement. Vous devez vous garder surtout de magnétisations trop longues ou trop fréquentes. Interrompez-vous aux premiers signes de fatigue, de lassitude, etc. Votre entraînement sera graduel et régulier, comme s'il s'agissait de culture physique. Vous serez vous-même le juge de votre état de santé.

Il est aussi recommandé de pratiquer pour acquérir un regard magnétique, c'est-à-dire que vous devez, lorsque vous regardez votre sujet, être capable de le fixer sans cligner constamment des yeux, et surtout, ne jamais être dans l'obligation de « fuir » son regard. Bien sûr, il n'est pas recommandé, ni recommandable, de dévisager les gens. Vous devez vous entraîner pour en arriver à avoir un regard fascinant, un regard franc, un regard qui calme et apaise.

Pour ce faire, installez-vous confortablement sur une chaise ou un fauteuil et placez devant vous, à la hauteur de vos yeux, une feuille de papier blanche sur laquelle vous tracerez un cercle noir, de la grosseur d'une pièce de dix cents. Fixez ce point sans cligner des yeux, et surtout, sans vous fatiguer, durant cinq à dix minutes, ou moins, selon la fatigue que vous ressentez.

Faites cet exercice dans le calme, tout en demeurant très naturel. Ne crispez surtout pas les traits de votre visage, demeurez très détendu. Durant cet exercice, dites-vous mentalement :

« Mon regard fascine de jour en jour. »

Et votre regard deviendra fascinant. Vous n'y arriverez peut-être pas rapidement, mais la persistance et les exercices fréquents et réguliers vous permettront de développer une attitude qui reflètera le calme, et qui fera dire à vos sujets : « Ce que je veux, c'est être calme comme vous. » Il est important de pratiquer, et d'avoir la tenue vestimentaire aussi bien que l'attitude qui reflète votre personnalité dans ce qu'elle a de mieux et de plus attirant.

Nous sommes un soleil miniature. Il y a sept pôles magnétiques en nous. Ces pôles sont aussi appelés plexus, communément classés comme suit :

Cervical : Ce point, situé entre les deux yeux, permet un rayonnement fluidique intense.

Carotidien : Ce point, situé à la hauteur de la pomme d'Adam, permet d'agir sur les voies respiratoires et sur la voix.

Cardiaque : Situé légèrement à gauche dans la région du cœur, ce point permet de dominer nos sentiments.

Solaire : Situé à l'épigastre (partie supérieure de l'abdomen, communément appelé « creux de l'estomac »), ce centre a une grande puissance de rayonnement. Il est très réceptif à l'action magnétique.

Ombilical : Situé juste au-dessous du nombril, ce point agit sur les organes abdominaux.

Génital : Situé juste au-dessus des organes génitaux, ce point agit surtout sur la vessie et aide aux phénomènes de congestion et de décongestion des organes génitaux masculins et féminins.

Périnéal : Entre l'anus et les organes de reproduction, ce point est le siège de la pulsion féminine sexuelle et de la force virile chez l'homme.

Ce tableau — qui peut paraître compliqué — vous permet de réaliser que le corps est doté de plusieurs champs magnétiques.

La mère qui appuie son enfant sur elle après lui avoir donné à boire pratique le magnétisme : elle lui transmet une chaleur bienfaisante, magnétique, qui soulage les coliques et endort. L'infirmière qui pose la main sur le front du malade durant quelques instants lui apporte un soulagement, un bien-être, par le magnétisme qu'elle dégage. Un sourire, un regard chaleureux a des effets magnétiques, calmants, bienfaisants. Le problème, c'est que l'on ne pense pas à ces petits détails, à ces gestes que l'on pose quotidiennement, sans s'en rendre compte.

Pour être un bon magnétiseur, vous devez avoir l'esprit ouvert à ces détails de comportement, car plus vous exercerez votre magnétisme tactile, visuel et sensoriel, plus vous pourrez être magnétique, plus il émanera de votre personne une bonté attachante. Il ne faut pas oublier que la froide raison est insuffisante, je dirais même incapable, d'arriver à faire de vous un bon magnétiseur. Il faut beaucoup de sens humain, de compréhension, de disponibilité de cœur avec les êtres qui vous entourent ou qui sont en rapport avec vous. Être humain, comprendre les autres, cela ne veut pas dire être bonasse, se plier à tous leurs caprices ou exigences. Il faut être bon, mais jamais bonasse. Le magnétisme vous permettra d'atteindre cet équilibre. Si vous mettez en pratique les suggestions faites dans le chapitre suivant, vous réussirez à être très humain et à dégager une atmosphère de calme autour de vous.

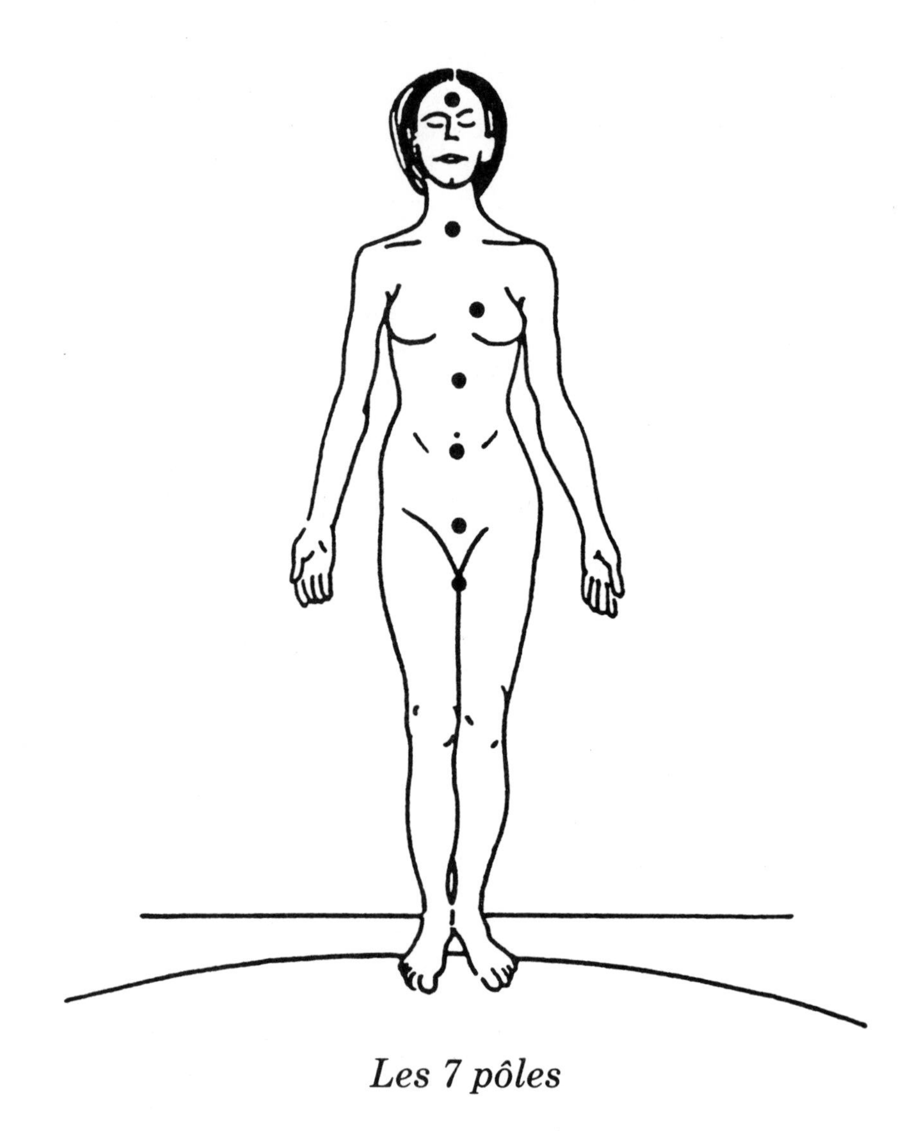

Les 7 pôles

CHAPITRE IV

Comment développer son magnétisme personnel pour vaincre le stress

« Petit à petit, l'oiseau fait son nid. »

Pourquoi et quand magnétiser ? Excellente question ! Puisque vous apprenez les passes magnétiques, il serait utile de savoir pourquoi et quand vous en servir. Il faut retenir tout d'abord que les effets bénéfiques du magnétisme profitent au magnétiseur aussi bien qu'au magnétisé.

Les meilleurs avantages allant au magnétisé — c'est logique, car il reçoit toute l'énergie du magnétiseur —, vous devez être en forme avant de commencer une séance de magnétisme. Sur 100 personnes bien portantes, il s'en trouve 20 à 25 pour cent sur qui le magnétisme agit en quelques minutes, parfois même presque instantanément, et produit des effets marqués : ce sont les sensitifs. Les autres ne ressentent l'influence du magnétiseur qu'après une action plus ou moins prolongée. Mais tout malade, quel qu'il soit, ressent les effets du magnétisme.

Pour le magnétiseur, le fait d'aider quelqu'un à se débarrasser de ses problèmes psychiques et physiques est une source de satisfaction de joie. Le fait aussi de pratiquer le magnétisme vous aidera à être plus calme, plus pondéré et à développer la confiance en vous. Il est très important d'avoir confiance en vous et de croire à ce que vous faites. Toute votre attitude de magnétiseur est source de force pour vous, aussi bien que pour les autres.

Il est bon de savoir vous comporter et il est aussi nécessaire d'augmenter votre mieux-être physique si vous voulez avoir le maximum de magnétisme, et par le fait même, obtenir les résultats auxquels vous vous attendez. Une relaxation bien faite vous aidera à vous recharger « à bloc » et vous serez alors un magnétiseur hors pair.

La relaxation est, comme son nom l'indique, un état de relâchement intégral du corps et du mental, en vue d'acquérir le calme, la patience et la volonté nécessaires pour maîtriser ce fluide vital qu'est le magnétisme, afin de vous en servir efficacement.

Vous devez d'abord apprendre à vous relaxer dans un endroit le plus calme possible, loin de tout bruit. Évitez la présence de gens nerveux — tout au moins au début. Choisissez de préférence un éclairage tamisé ou mieux, une lumière bleue, ce qui contribue à vous calmer.

1. Debout, le corps droit, inspirez lentement par le nez, en comptant mentalement le temps écoulé en secondes. Commencez par emplir le ventre, puis le bas du thorax et faites monter l'air dans le haut des poumons.

2. Retenez l'air inspiré, le même temps que l'inspiration, ensuite, expirez par la bouche. Répétez ce cycle dix fois, augmentez par la suite, selon votre capacité respiratoire. Notez qu'il n'y a pas de critère absolu : ce n'est pas une compétition. Aussi, ne forcez pas au-delà de votre capacité respiratoire.

3. Allongez-vous par terre, sur le dos, les yeux fermés, les jambes et les bras légèrement écartés. Mentalement, passez en revue chaque membre de votre corps. Pensez :

   « Mes pieds reposent lourdement de tout leur poids. Mes jambes sont molles et lourdes, mon bassin repose. Mon thorax, mon cou, ma tête sont également très lourds. Mes bras, mes mains sont décontractés et lourds. »

Pensez :

« Je décontracte ma mâchoire.
Mon front est serein. »

Chassez par la pensée la tendance qu'auront certains membres d'échapper à votre vigilance. En effet, au début, certains peuvent avoir de la difficulté à se décontracter car les nerfs trouvent pour la première fois un maître et se rebiffent à l'injonction qui leur est faite. Pensez :

« Je suis calme, détendu, relaxé. »

Imaginez-vous comme les eaux d'un lac dont la surface ne serait troublée par aucun vent. Vous ne tarderez pas à constater les résultats.

4. Ce stade étant atteint, fixez un point, n'importe quoi s'offrant à votre vue. Faites l'effort de ne plus penser à rien, ou du moins, réduisez le cours de vos pensées. Lorsqu'une pensée surgit par la suite, chassez-la doucement, sans aucune concentration exagérée — ce qui aurait pour effet de vous contracter à nouveau. N'oubliez pas que le mental est solidaire du corps physique, et vice-versa. L'agitation mentale aura des répercussions sur votre physique, tout comme ce dernier peut gêner le mental. Restez dans cet état de détente le temps qu'il vous plaira. Si vous vous imposez cette discipline, vous atteindrez un calme communicatif : vous aurez réussi là où d'autres échouent. Vous pouvez également vous enregistrer une cassette de détente en y ajoutant des suggestions positives qui feront de vous une force au repos, un être magnétique.

Pour bien réussir l'enregistrement d'une cassette, il faut parler lentement, d'une voix monotone et monocorde. Il est recommandé de répéter une phrase, qui servira de point de concentration. Cette phrase doit être courte et significative, telle que:

« Je suis calme et je me détends. »

Quand un certain calme intérieur est établi, vous commencez à vous autosuggestionner. Il serait bon de commencer votre cassette par cette phrase et ensuite, d'enchaîner avec les suggestions que vous avez choisies de vous faire et qui pourraient être comme suit:

> « Je me sens calme et détendu. Je me sens relaxé, j'éprouve une sensation de bien-être dans tout mon corps. J'aime cette sensation de détente qui m'envahit. Je suis de plus en plus calme, de plus en plus détendu. Je me sens magnétique parce que je suis calme et détendu. Je suis plus fort, je maîtrise mon fluide, je suis calme et je le demeurerai devant qui que ce soit et quelles que soient les circonstances. Je constate que ma force fluidique augmente. Je me sentirai bien et je garderai une attitude positive et calme devant les autres afin de transmettre cette force, de faire en sorte que tous ceux qui vont m'approcher ressentent les effets de mon magnétisme, qu'ils soient bien en ma présence, qu'ils réalisent que je les comprends sans les juger. Je suis tellement bien, calme, relaxé, détendu, décontracté, et cette sensation de détente va persister durant les heures à venir. Je me sens plus fort, plus magnétique et j'en suis heureux. »

Après avoir écouté votre cassette, vous constaterez que vous réussissez à atteindre un degré de concentration intéressant et que vous développez une attitude positive, ce qui vous surprendra agréablement. Le texte suggéré peut être modifié à votre goût, mais il constitue une base intéressante de suggestions positives. Les premières fois que vous écouterez votre cassette, il se peut que vous n'aimiez pas vous entendre. Ne vous en faites pas : après un certain temps, vous serez agréablement surpris des effets positifs que vous constaterez. On pourrait résumer ce devenir magnétique de la façon suivante : La relaxation, c'est l'activité et le mieux-être physique.

L'autosuggestion (sur cassette), c'est la passivité et le mieux-être psychique. Les deux techniques sont nécessaires. Il existe une autre technique, l'autorelaxation, qu'il vous faudra pratiquer pour vous recharger physiquement et mentalement, car plus vous aurez une attitude calme et confiante, plus vos sujets seront bien magnétisés.

Est-ce possible de se sentir bien, de contrôler ses nerfs, de garder son calme, de ne pas être affecté par le stress ? Certainement. L'homme peut et doit contrôler le stress, ce mal du siècle, si troublant, si inquiétant. Il y réussira en faisant d'abord un petit effort chaque jour, puis à des intervalles plus espacés lorsqu'un certain équilibre est atteint. Un grand nombre d'ouvrages et de techniques vous sont proposés. Vous avez essayé et vous n'avez pas réussi ? Pourquoi ? C'est trop long, trop compliqué ?

Je vous propose une technique qui a fait ses preuves et qui est à la portée de tous. Puisque vous voulez magnétiser, vous devez d'abord vaincre le stress, bien contrôler vos nerfs. Pour y arriver, essayez l'exercice suivant, qui s'apparente au training-autogène du Dr Shultz, professeur d'université, qui a vécu au début du siècle. Différentes variantes ont été apportées à cette technique. Je crois que si vous l'utilisez régulièrement, vous obtiendrez des résultats intéressants. Procédez de la façon suivante. Chaque exercice doit durer une dizaine de jours.

1. *Relaxation musculaire*
   Vous fermez les yeux et vous répétez lentement :
   « Je suis calme et je me détends. »
   Quand vous avez obtenu un certain calme intérieur, vous vous faites la suggestion suivante :
   « Mon bras droit est lourd. »
   Dès que vous ressentez un certain engourdissement ou une certaine lourdeur, procédez de la même façon pour le bras gauche, puis pour les jambes.

2. *Relaxation vasculaire*
   Dès que vous sentez une certaine lourdeur dans les bras et les jambes, enchaînez en répétant :
   « Mon bras droit devient chaud. »
   Une fois l'effet ressenti, procédez de la même façon pour le bras gauche, puis pour les jambes.

3. *Régulation cardiaque*
   Après avoir réussi les exercices précédents, vous vous suggérez :
   « Mon coeur bat lentement, mais fortement. »
   L'expiration forcée aide à se livrer à cet exercice. À la fin, on doit si bien sentir son coeur qu'on peut dire :
   « Je suis mon cœur. »

4. *Régulation respiratoire*
   Imaginez voir la mer, un bateau sur les vagues qui montent et descendent, et suggérez-vous :
   « Je respire bien et calmement. »
   Répétez cet exercice une vingtaine de fois.

5. *Régulation des organes abdominaux*
   Concentrez-vous sur le plexus solaire et répétez-vous :
   « Mon plexus solaire est chaud. »
   Répétez cette phrase jusqu'à ce que vous ressentiez l'effet de chaleur, soit une vingtaine de fois.

Remarque : chacun de ces exercices doit être fait dans l'ordre et on ne doit pas passer au suivant tant que le précédent n'est pas réussi. La transe que vous obtiendrez en pratiquant cet exercice sera légère ou moyenne, rarement très profonde, car vous jouez deux rôles : le relaxeur et le relaxé.

Ces exercices vous procureront un grand calme intérieur, un grand contrôle sur votre organisme et une grande force de concentration. Il serait bon d'enseigner cette technique d'autorelaxation aux sujets que vous magnétiserez. C'est une excellente méthode pour guérir l'insomnie, le psoriasis, les migraines, etc. Lorsque vous voulez enseigner cette méthode à quelqu'un, faites-lui faire ces exercices après l'avoir magnétisé : il les réussira plus facilement.

CHAPITRE V

Comment faire les tests de sensibilité au magnétisme

« La lettre tue, mais l'esprit vivifie. »

Vous êtes maintenant en mesure de commencer à expérimenter le magnétisme. Voici comment procéder :

Il est préférable de mesurer d'abord le degré de suggestibilité de votre sujet. Pour ce faire, priez-le de vous présenter ses pouces. Prenez ses pouces entre vos mains et demandez-lui de s'avancer de quelques pas. Laissez ses pouces, demandez-lui de s'arrêter et dites-lui :

> « Laissez retomber vos bras. Joignez les pieds. Tenez-vous droit, sans crispation. Décontractez-vous. »

Pointez l'index sur le front du sujet, puis passez votre doigt le long de son front et sur le sommet du crâne. Descendez le long de la nuque jusqu'aux omoplates. Appliquez alors vos deux mains bien à plat sur ses omoplates et dites :

> « J'ai présentement mes deux mains sur vos omoplates. Dans un instant, je vais les retirer et vous sentirez une attraction magnétique à l'arrière de votre dos, comme un aimant. »

Éloignez vos deux mains, toujours à la même hauteur, tout en vous reculant. Vous verrez alors la personne vaciller et tomber en arrière. Tenez-vous prêt à la recevoir, pour éviter une chute toujours possible. S'il arrivait que la chute ou le recul en arrière se fasse attendre, recommencez l'expérience trois ou quatre fois. Il est rare que l'on ne réussisse pas.

L'exercice suivant peut être pratiqué par devant. Placez vos deux mains sur les épaules de la personne et demandez-lui de vous regarder dans les yeux. Puis faites-lui la suggestion suivante :

> « Vous êtes en haut d'un édifice. Vous regardez en bas, le vide vous attire. »

Le résultat ne se fait pas attendre... Bien souvent, la personne tombe en avant : vous avez là, sans contredit, un excellent sujet. Certains vacillent, mais ne tombent pas. Il vous faudra alors plus de temps avec eux. Enfin, les réfractaires, insensibles à l'action du magnétisme, seront pour vous des sujets plus difficiles.

En présence de ces derniers, il faut prendre les précautions d'usage, car il arrive qu'ils luttent — consciemment ou inconsciemment. Une fois chez eux, leur surveillance relâchée, il n'est pas rare qu'ils veuillent recommencer l'expérience, et deviennent plus réceptifs. Vous pouvez aussi refaire l'expérience de la chute en avant ou en arrière, mais sans faire de suggestion. Ceux qui reculent sous l'effet de la simple application des mains sont de bons sujets.

La très grande majorité des gens ressentent les effets du magnétisme. Je crois qu'il serait exact de dire que moins de cinq pour cent n'en ressentent pas les effets. Vous pouvez aussi demander à votre sujet de s'asseoir, en ayant bien soin de vous servir d'un siège qui dégage la tête. Vous appliquez alors votre main droite à quelques centimètres du front, la main gauche à quelques centimètres de la nuque. Demandez à votre sujet de fermer les yeux et demeurez dans cette position environ deux minutes, puis faites-lui la suggestion suivante :

« Votre tête est lourde, de plus en plus lourde. »

Dites cette phrase lentement, quatre ou cinq fois. Si la tête de la personne commence à s'incliner, vers l'arrière ou vers l'avant, vous avez un sujet qui répondra bien aux passes magnétiques et qui en ressentira les bienfaits.

Voici un autre test qui vous aidera à déterminer la sensibilité de votre sujet au magnétisme. Demandez-lui de rester debout, placez votre main droite sur son plexus solaire et votre main gauche dans son dos, vis-à-vis votre main droite. Sans toucher la personne, placez vos mains très près de son corps, frôlant en quelque sorte ses vêtements. Demandez-lui de fermer les yeux et imposez-lui les mains comme il a été suggéré plus haut, durant une ou deux minutes, puis faites-lui les suggestions suivantes :

> « Vos jambes deviennent lourdes, tout votre corps se détend, s'alourdit. Vos paupières sont lourdes, votre tête est lourde. »

Répétez ces suggestions lentement, une dizaine de fois. Plusieurs vacillent, et la plupart ressentent de l'engourdissement ou de la lourdeur. Demandez à votre sujet ce qu'il a ressenti. Si l'effet ressemble aux suggestions que vous venez de faire, vous avez un bon sujet. Il est important de connaître les effets ressentis par l'intéressé, car ils vous serviront de guide pour établir son degré de réceptivité et déterminer le temps et le nombre de passes que vous devrez faire pour réussir une magnétisation efficace.

Ces tests sont très importants pour évaluer le degré de réceptivité des sujets. En même temps que vous imposez les mains, il est bon de faire des suggestions d'une voix calme et monotone : cela accentue le déclenchement du phénomène magnétique.

Il ne faut jamais faire les suggestions d'une voix forte ou avec des trémolos dans la voix. Il est important de parler posément, calmement et lentement. Souvenez-vous qu'un test n'est pas toujours concluant et ne vous énervez pas si une personne semble lente à réagir. Soyez patient, prenez le temps qu'il faut et vous obtiendrez les résultats escomptés.

Si une personne semble moins réceptive, demandez-lui si elle a peur de se faire magnétiser : c'est souvent la raison de la résistance. En ce cas, expliquez-lui bien que vous n'avez aucune emprise sur elle, que vous ne pouvez en avoir, que les tests que vous faites sont seulement un guide pour vous permettre de mieux réussir la magnétisation. En général, lorsqu'on explique bien ce qu'est le magnétisme, on chasse la peur.

CHAPITRE VI

Comment faire les passes magnétiques

« Vingt fois sur le métier, remettez votre ouvrage. »

Vous devez d'abord établir le contact avec le sujet que vous allez magnétiser. Faites asseoir la personne dans un fauteuil confortable et invitez-la à se détendre complètement. Asseyez-vous en face d'elle, sur un siège un peu plus élevé que le sien. Ensuite, placez vos pieds contre les siens et prenez ses poignets dans vos mains, jusqu'à ce que ses mains soient à la même température que les vôtres : cela prend de deux à cinq minutes.

Certaines personnes n'aiment pas se faire toucher. En ce cas, placez vos mains à quelques centimètres des mains ouvertes de votre sujet. Vous sentirez une chaleur se dégager de ses mains et des vôtres. Au bout d'une ou deux minutes, un changement se produira, vous sentirez un léger courant d'air plus frais. À ce moment-là, vous pouvez commencer vos passes : vous avez établi un bon contact avec votre sujet.

Il y a deux sortes de passes : les passes longitudinales et les passes transversales. Les passes les plus connues sont au nombre de six. Les passes 1, 2 et 6 sont des passes longitudinales ; les passes 3, 4 et 5, des passes transversales. Elles se font toutes en quatre étapes :

1. Fermer les mains sans crispation.
2. Les porter au point de départ du trajet de la passe.
3. Les ouvrir dans un geste de projection et un mouvement souple des poignets.
4. Du bout des doigts, décrire une ligne bien définie, à quelques centimètres de la peau.

Il n'est pas nécessaire de toucher la personne que vous voulez magnétiser, mais plus vous serez capable de décrire votre ligne près de la peau, en l'effleurant presque, meilleur sera l'effet. Une fois que vous avez fait les six passes — trois transversales et trois longitudinales —, votre sujet est dans un état de très grande détente. Certains seront même en état de somnambulisme.

Après les passes, vous devez dégager. Le dégagement se fait en secouant les mains, comme si vous vouliez vous débarrasser d'un papier qui serait collé à vos doigts. Ce mouvement de rejet doit se faire sans brusquerie.

Si les passes sont faites correctement, il est à peu près impossible qu'il y ait quelque transfert que ce soit, mais la prudence est une vertu. Soyez donc prudent et faites le dégagement après chaque passe. Une fois la séance terminée, rien ne vous empêche de vous rincer les mains à l'eau froide. De cette façon, vous êtes sûr qu'il n'y aura pas de transfert. Vous vous demandez sans doute de quel transfert il s'agit ? C'est simple :

Supposons que le sujet que vous magnétisez a le rhume. Vous pourriez attraper son rhume en faisant mal vos passes, par exemple, en retournant les mains vers vous au lieu de les envoyer vers l'extérieur après avoir terminé les passes. Mais si vous faites bien le dégagement, cela ne se produira pas.

Après avoir fait vos passes, vous pouvez constater les effets suivants :

1. Le sujet dort physiquement, mais il ne peut pas parler. Il perçoit cependant les bruits extérieurs.
2. Le sujet est rigide, le corps contracté : il est en état de catalepsie.
3. Le sujet ne ressent rien, il est indolent : c'est la léthargie.
4. Le sujet ouvre les yeux, parle, se lève, puis retombe prostré : c'est le somnambulisme.

5. Le sujet voit ou entend à de longues distances, ou fait montre de prophétisme : c'est une activité extra-sensorielle.
6. Le sujet ressent toutes sortes d'émotions, il est ouvert à la suggestion verbale, son subconscient croit fermement ce qui lui est suggéré, parce qu'il veut y croire : c'est l'état de crédulité.

Quel que soit l'état atteint par votre sujet, vous pouvez lui faire les suggestions « qu'il désire entendre ». J'insiste sur l'expression « qu'il désire entendre ». Vous ne devez jamais le surprendre en lui faisant des suggestions qu'il ne voudrait pas entendre ou recevoir. Le magnétisme peut aider à améliorer le physique et le psychisme, aussi, lorsque vous procédez par suggestion, vous vous adressez au subconscient, au cerveau, et la réaction sera bonne en autant que vos suggestions seront bien faites. Pour faire les suggestions appropriées, vous devez auparavant obtenir de l'intéressé les renseignements qui vous sont nécessaires pour mettre au point les suggestions qu'il désire.

Ne questionnez jamais une personne en état de magnétisation sans avoir obtenu son consentement au préalable: c'est une question d'éthique et de confiance. Personne n'a le droit de surprendre les secrets des gens, et le fait de questionner quelqu'un en état de somnolence peut lui faire perdre confiance envers le magnétisme ou le magnétiseur. Bien sûr, la confiance joue un très grand rôle dans les résultats obtenus et les suggestions doivent être faites et reçues avec confiance. Aussi, si vous voulez vraiment aider quelqu'un, dans quelque domaine que ce soit, prenez le temps de connaître ses désirs et ses besoins avant de lui faire des suggestions. Établissez bien avec lui les suggestions qu'il aimerait recevoir. Vous ne devez jamais prendre les décisions qui s'imposent pour changer le comportement de quelqu'un sans avoir obtenu au préalable le consentement de l'intéressé.

Voici les six passes suggérées qui vous permettront de réussir à bien magnétiser un sujet et à lui procurer une détente à nulle autre pareille, sans effort de sa part.

Certains se demandent si le magnétiseur récite des prières ou fait des incantations pendant qu'il magnétise. Au risque de les décevoir, la réponse est simple: c'est *non*. L'effet du magnétisme ne vient pas de ce que le magnétiseur pense ou croit, mais de l'énergie qu'il dégage. Et c'est très bien ainsi : c'est la preuve indéniable que l'action magnétique n'a aucun lien avec la sorcellerie. Maintenant que cela est clair, voyons les passes qu'il faut faire. Rappelons que le sujet doit être assis sur un siège qui dégage la tête. *Le sujet doit fermer les yeux.*

Passe n° 1

Étendez les mains au-dessus de la tête du sujet, sans raideur des muscles, les doigts légèrement recourbés. Descendez lentement les mains de chaque côté de la tête, du cou, des épaules, des bras, des cuisses, jusqu'aux genoux. Refermez ensuite les mains, dégagez, pour ensuite remonter les mains, paumes vers l'extérieur.

Recommencez cette passe une dizaine de fois. Elle doit durer chaque fois une trentaine de secondes.

Passe nº 2

Placez les mains comme pour la passe nº 1, mais les doigts très près de la tête. Descendez les mains vers l'arrière de la tête, comme si vous vouliez l'envelopper, puis le long des mâchoires, jusqu'au menton, pour ensuite dégager.

Répétez cette passe une dizaine de fois, environ 20 secondes chaque fois.

Passe nº 3

Prenez place derrière le sujet. Placez vos deux mains légèrement recourbées au centre de son front, à la racine des cheveux, et laissez-les dans cette position environ dix secondes. Retirez-les ensuite très lentement et en partant de la glande frontale, passez-les sur les tempes, en ligne droite, et derrière la tête, en passant au-dessus des oreilles.

Répétez cette passe dix fois, très lentement. Chaque passe dure environ 20 secondes.

Passe nº 4

Toujours derrière le sujet, placez vos mains au centre de son front, à la racine des cheveux. Gardez cette position environ dix secondes. Retirez ensuite vos mains très lentement, jusqu'aux oreilles, puis descendez-les le long de la mâchoire.

Chaque passe dure environ 20 secondes et doit être répétée environ cinq fois.

Passe n° 5

Placez-vous devant votre sujet, bras croisés, poings fermés, à la hauteur de son visage, et descendez lentement en décroisant vos bras et en ouvrant vos mains, jusqu'à ce que vos bras soient complètement décroisés.

Chaque passe dure environ 30 secondes, et doit être répétée cinq fois.

Passe n° 6

Placez-vous devant votre sujet, le majeur de la main droite vis-à-vis le plexus cervical (la racine du nez). Pliez le bras gauche, la main pointant le plafond. Une fois en position, décrivez dix petits cercles vis-à-vis la racine du nez, ensuite, descendez le long du corps.

Répétez cet exercice cinq fois, en alternant avec la passe longitudinale de droite à gauche. Chaque passe dure environ 30 secondes.

Pour réussir à faire des passes lentement et suivre le rythme recommandé de 30 à 60 secondes, du début à la fin, comptez lentement, mentalement : « 101, 102, 103 », et ainsi de suite, jusqu'à 130 ou 160. De cette façon, votre rythme sera excellent et vous pourrez vous habituer à prendre le temps nécessaire pour devenir un magnétiseur de première force. Il vous arrivera de constater qu'après une, deux ou trois passes, votre sujet est déjà en état de détente. Il vous semblera qu'il s'affaisse, que sa tête tombe. En ce cas, vous pouvez cesser les passes : le sujet est déjà en transe et il est prêt à recevoir vos suggestions, le cas échéant.

Pour dégager le magnétisme, faites des passes rapides, de bas en haut le long du corps, et l'effet de lourdeur et d'engourdissement disparaîtra.

Pour bien réussir les passes, il faut garder beaucoup de souplesse et s'assurer de ne jamais raidir les doigts. Il vaut mieux qu'ils soient recourbés et écartés, afin que le bout des doigts soit dirigé vers le sujet. En d'autres termes, il faut mettre de l'aisance dans le mouvement.

C'est par la pratique régulière que vous en arriverez à avoir une grâce et une souplesse de mouvement telles que lorsque vous magnétiserez, le sujet ressentira le calme et l'assurance émanant de votre personne. Si vous êtes le moindrement tendu, vous projetterez une mauvaise image qui pourrait être négative pour votre sujet, diminuer sa confiance en vous et annuler en quelque sorte l'effet du magnétisme. N'oubliez pas que le sujet se concentre sur votre attitude, qu'il vous observe. Si vous n'êtes pas calme ou si vous n'avez pas l'air calme et confiant, vous n'obtiendrez pas les résultats espérés.

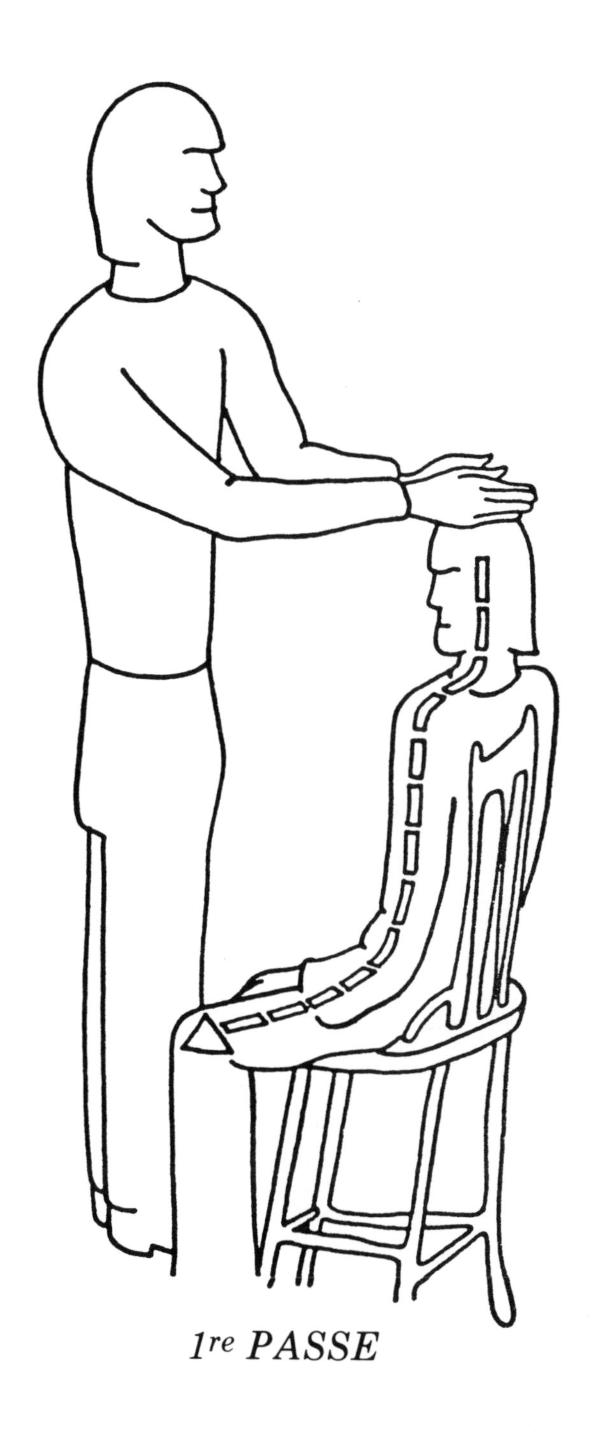

1re PASSE

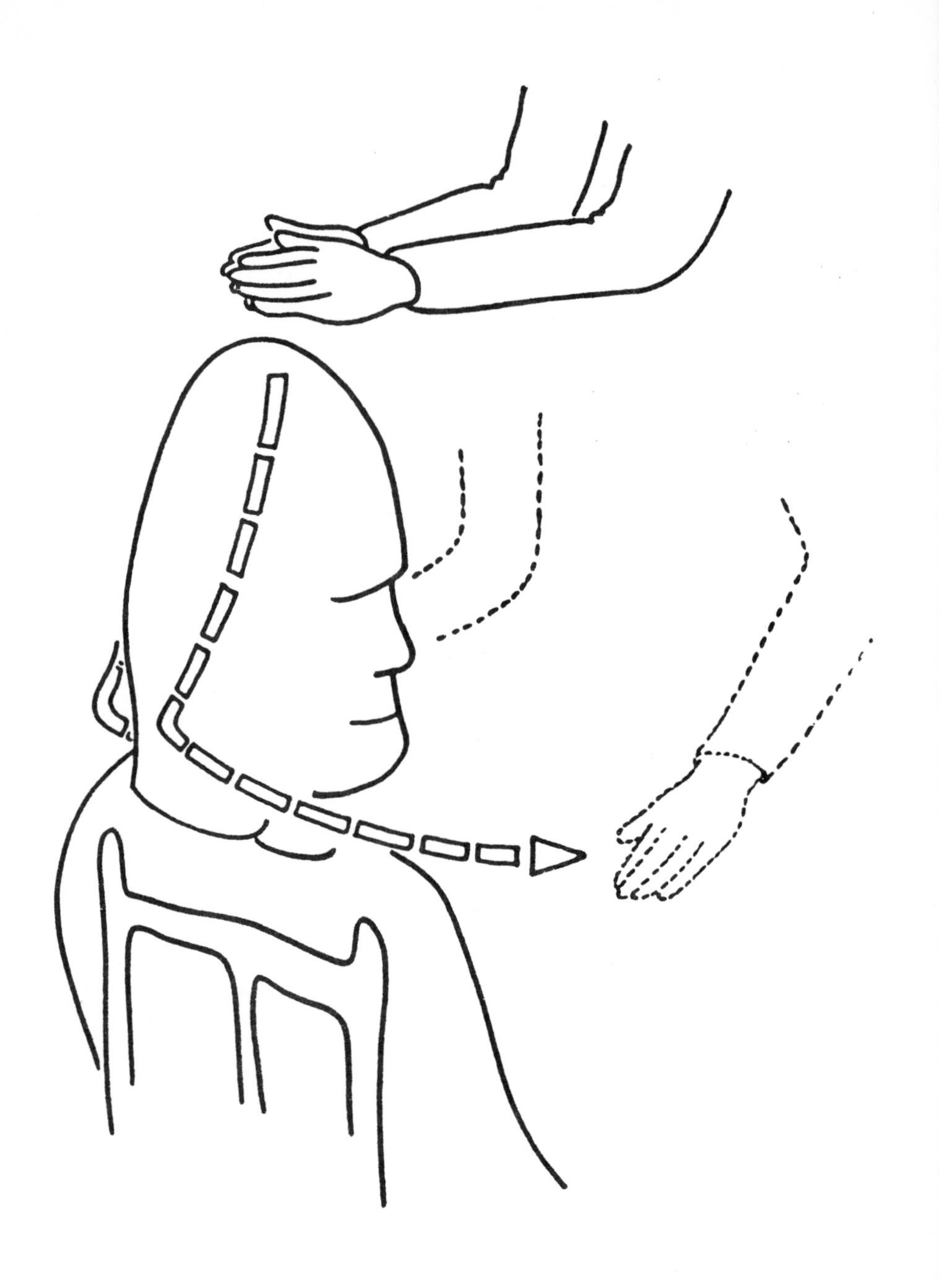

2e PASSE

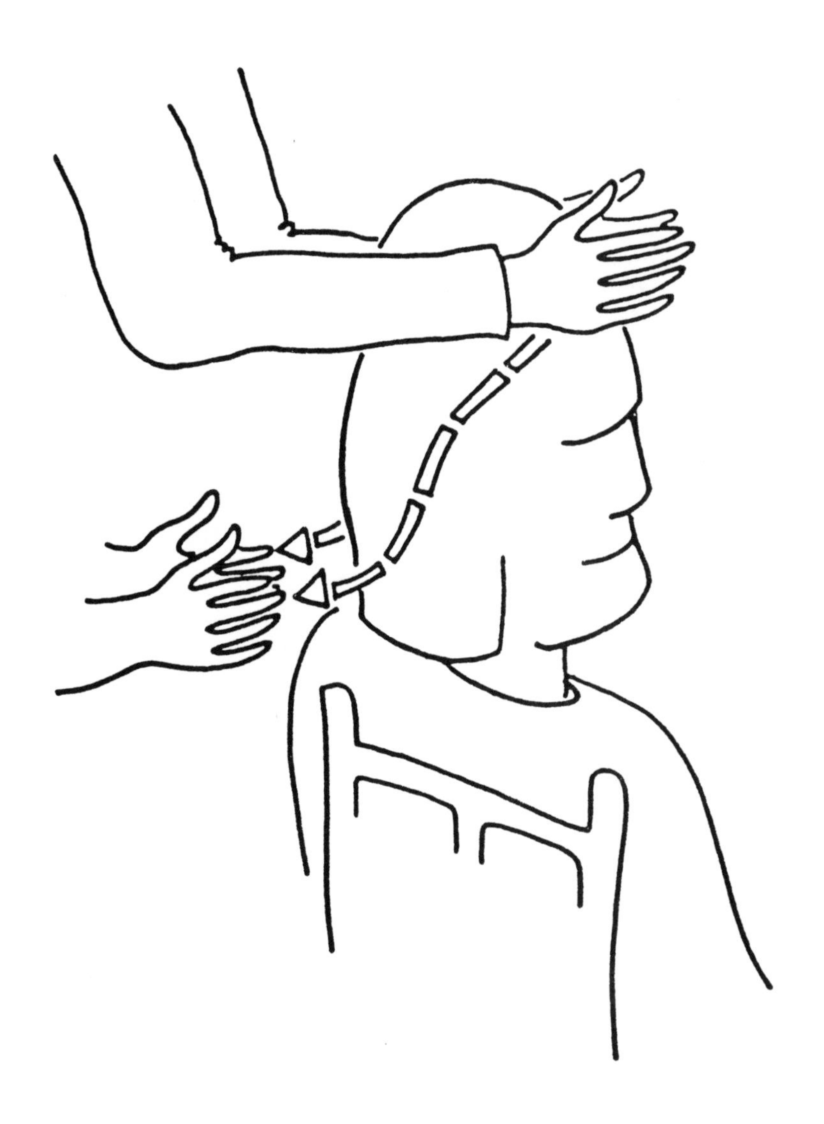

3ᵉ PASSE

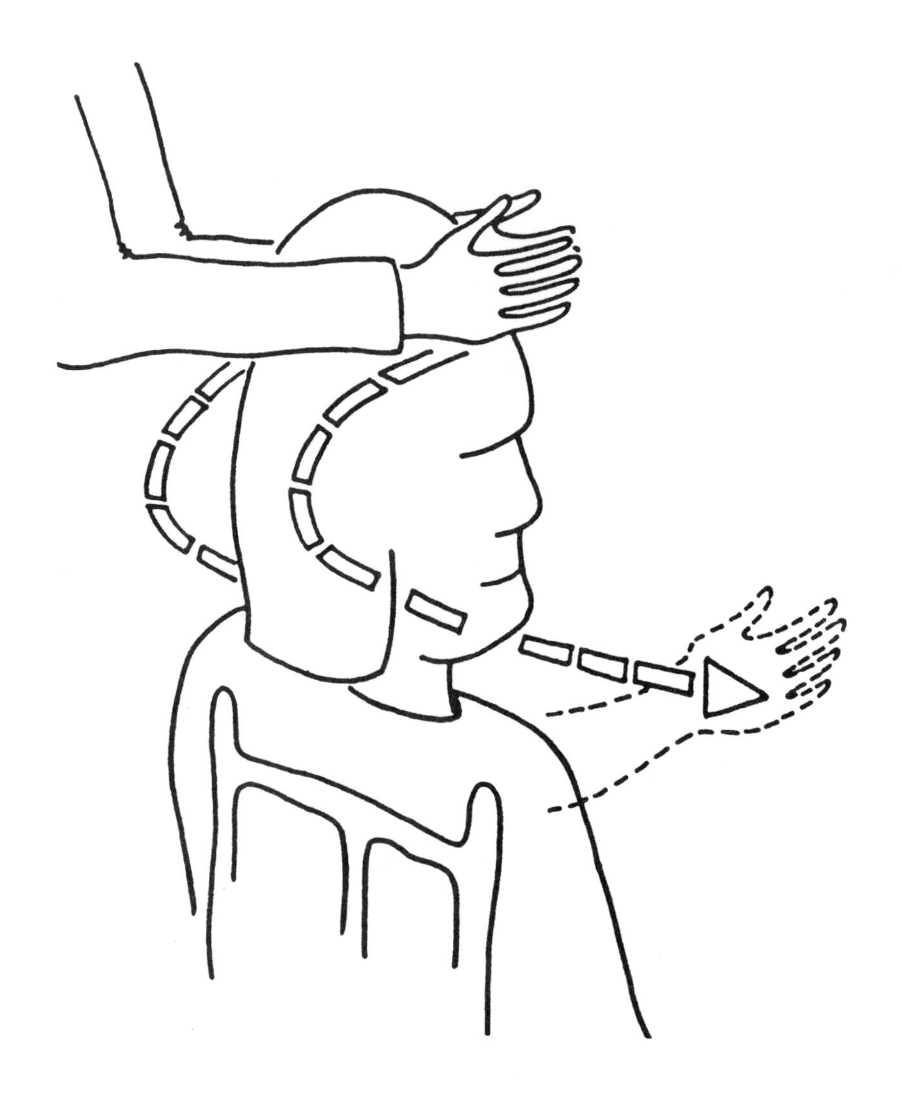

4e PASSE

5e PASSE

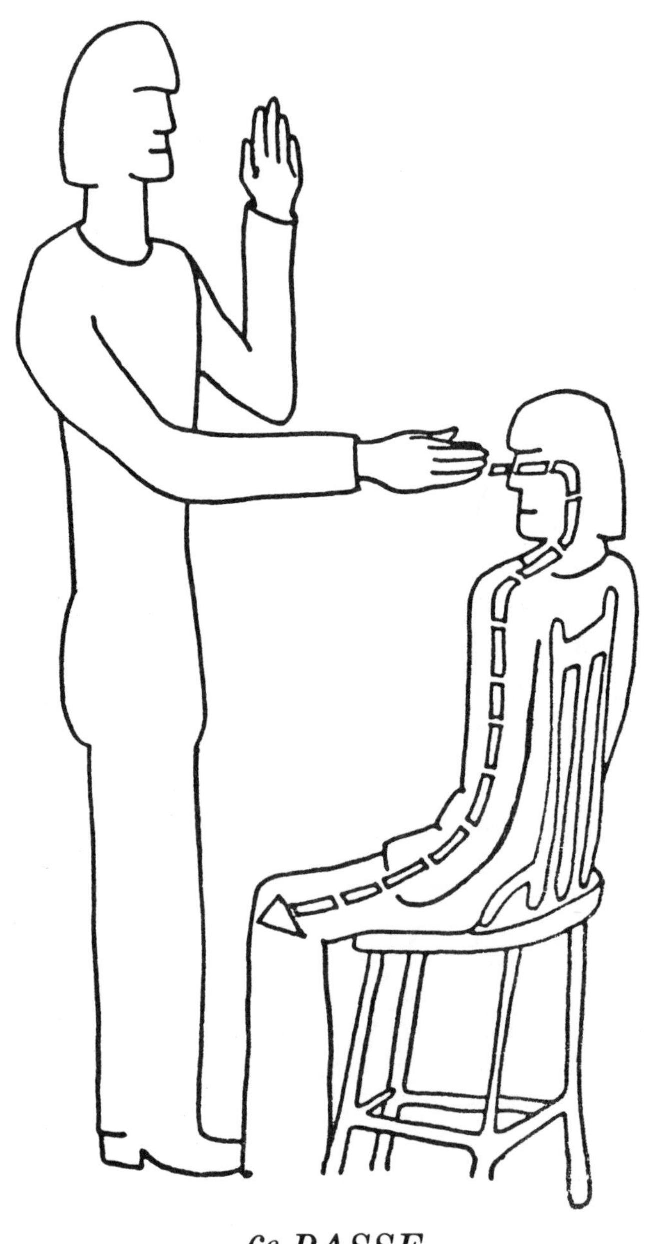

6e PASSE

CHAPITRE VII

Comment guérir les malaises physiques

« *Fais ce que dois, advienne que pourra.* »

Nous étudierons maintenant le côté spectaculaire, si l'on peut dire, du magnétisme. Ceux qui ne veulent pas comprendre continueront à prétendre que le magnétisme est quelque chose de satanique ou qu'il relève du charlatanisme. Il est impensable que tant d'obscurantisme demeure si bien ancré de nos jours. On n'a qu'à entendre les réflexions de certaines personnes... (On se demande comment il est possible de répandre des idées semblables.)

Mais le magnétisme guérit et il continuera de guérir malgré tout, car il n'a absolument rien de satanique : c'est une force de la nature. Le magnétisé n'est pas sous l'emprise du magnétiseur : une pensée négative de sa part ou une pensée contraire à celle du magnétiseur peut annuler tout effet. Seuls ceux qui y consentent peuvent être magnétisés.

Il est incroyable de penser que certains groupes religieux condamnent le magnétisme. Pourtant, le pape Pie IX a dit à LaFontaine (1803-1892), emprisonné parce qu'on l'accusait de vouloir imiter les miracles de Jésus-Christ : « Nous espérons vivement, pour le bien-être de l'humanité, que le magnétisme soit largement diffusé. » Cela démontre que le magnétisme est très loin des intentions sataniques que des exaltés ou de faux purs voudraient prêter aux magnétiseurs.

L'action de magnétiser n'est pas miraculeuse : le magnétiseur met simplement en œuvre une énergie naturelle que tous les êtres humains possèdent à l'état latent, ce qui leur permet de s'aider les uns les autres sans avoir à dépenser une fortune ou à se droguer jusqu'à la moelle pour obtenir un soulagement à leurs maux. Cette précision étant apportée, nous pouvons maintenant passer à l'action, selon le proverbe « Bien faire et laisser braire ». Ne vous occupez pas des qu'en-dira-t-on. L'important, c'est d'aider les autres. Vous y arriverez sans aucun doute. Il se peut que cela ne fasse pas l'affaire des marchands de drogues ou de ceux qui les prescrivent, mais qu'importe leurs réactions ou leurs imprécations : votre satisfaction viendra du bonheur, de la joie que vous éprouverez d'avoir aidé quelqu'un qui avait besoin de votre aide. Voici quelques suggestions pour arriver à guérir différents maux.

Mal de tête

Une façon très simple de soulager un mal de tête consiste à poser simplement la main droite sur le front du sujet et la main gauche sur sa nuque, de trois à cinq minutes. Au bout d'une minute environ, faire la suggestion suivante :

> « Votre tête devient lourde et vous avez l'impression qu'un grand vide se fait dans votre tête. Vous imaginez une boîte vide, et l'impression de vide, de grande détente s'accentue. »

Vous répétez cette suggestion une dizaine de fois. Au bout de trois à cinq minutes, enlever vos mains et demandez au sujet s'il a éprouvé une sensation de vide et si son mal de tête est effectivement disparu. Il confirmera avoir ressenti une sensation de vide et vous dira que le mal a diminué, sinon disparu. Si le mal persiste, recommencer l'opération.

Migraine chronique

Établir d'abord le contact avec le patient, puis faire des passes magnétiques dans la région frontale. En partant de la racine du nez, masser le front et les tempes avec les pouces. Secouer les mains de temps à autre pour dégager. Faire la suggestion suivante :

« Dans un instant, vos douleurs vont s'atténuer. Déjà, vous ressentez un certain bien-être. »

Passer les deux mains sur les deux hémisphères du cerveau en disant :

« Quand je retirerai mes mains de votre tête, toute douleur disparaîtra. »

Quelquefois, le sujet est débarrassé de ses malaises, mais le mal revient au bout d'un certain temps. En ce cas, on aura recours au sommeil magnétique. Amener le sujet à l'état dit « de crédulité » et interroger son subconscient :

« Pouvez-vous me dire si vous voulez la guérison ? Depuis combien de temps ? Est-ce un chagrin, un refoulement, une peur, un sentiment de culpabilité qui cause le mal ? »

Bien souvent, le patient découvre la raison de sa migraine : il en est alors libéré.

Il se peut que vous deviez recommencer ces séances quatre, cinq ou six fois. Mais un changement doit avoir lieu dès la première séance. Si vous n'arrivez pas à faire diminuer le mal de façon sensible lors d'une première séance, terminer le traitement en vous servant de la méthode pour soulager un simple mal de tête. Il serait surprenant qu'il n'y ait pas une amélioration importante. Ne pas oublier de recommander au sujet de consulter son médecin afin d'être sûr qu'il ne souffre pas d'une carence physique. Il est recommandé de pratiquer le magnétisme seulement après que le médecin ait déclaré que le sujet ne présente aucune déficience physique qui justifierait la douleur.

Mal de dents

Si le mal de dents est à droite, placer la main gauche à l'endroit douloureux et la main droite sur le front du malade durant cinq à dix minutes. Terminer par le dégagement de la tête.

Nausée

En cas de nausée, placer la main droite sur l'estomac et la main gauche sur le front durant trois à quatre minutes. Pour soulager la nausée chez une autre personne, procéder de la même façon en dégageant l'estomac à la fin de la séance. Si l'effet n'est pas suffisant, recommencer. Une première séance dure de trois à cinq minutes, mais rien ne vous empêche de la prolonger une dizaine de minutes, au besoin.

Mal d'oreilles

Imposer d'abord les mains environ trois minutes sur l'endroit douloureux. La meilleure façon d'imposer les mains est d'appliquer la main droite à l'endroit exact du mal et la main gauche vis-à-vis la main droite, mais du côté opposé. De cette façon, le magnétisme agit au maximum, la main droite donnant l'énergie et la main gauche enlevant le mal. Au bout de trois minutes, le mal devrait avoir diminué, sinon disparu. À ce moment-là, vous pouvez demander au sujet si le mal a effectivement disparu. Sinon, tout en laissant la main gauche au même endroit, faire, de la main droite, de courtes passes longitudinales, en ayant bien soin d'avoir les doigts pointés vers le mal, mais sans rigidité. Sur une surface plus étendue, faire les passes uniquement à l'endroit où le mal se situe. Il se produit un engourdissement plus ou moins important de la surface où les passes se font, et c'est très bien ainsi. Le bout des doigts vous piquera ou sera engourdi : n'ayez crainte, c'est un excellent signe. Après avoir fait une vingtaine de passes, si le mal n'est pas disparu, imposer les mains à nouveau pendant cinq minutes, si nécessaire. Le résultat devrait être satisfaisant.

Circulation sanguine

Pour améliorer ou éliminer les problèmes dus à une mauvaise circulation sanguine, faire étendre le sujet et faire environ une cinquantaine de passes longitudinales en partant de la tête jusqu'au bout des pieds.

Après les passes et l'application des mains, le sujet ressentira un engourdissement et une très grande détente. Il peut être nécessaire de faire les passes en plus grand nombre. N'hésitez pas, car il est important que le sujet ressente une grande *détente*. On peut ajouter la suggestion suivante en faisant les passes :

> « Votre sang circule normalement et vous sentez un bien-être qui vous envahit de plus en plus. »

En faisant cette suggestion en même temps que les passes, on augmente les chances de réussite. Les passes terminées, le sujet devrait sentir que son sang circule bien. Il est important de s'en assurer et, si nécessaire, de faire un plus grand nombre de passes.

Douleurs de tous genres

On ne peut énumérer tous les malaises physiques possibles. Mais quel que soit le siège de la douleur, l'imposition des mains et les passes rotatives soulagent un nombre incalculable de douleurs de toutes sortes causées par tous les accidents qui peuvent se produire dans la vie de tous les jours. Personnellement, j'emploie la méthode que l'on pourrait appeler des « passes rotatives ». Voici en quoi elle consiste :

Lorsqu'il ne se produit pas de résultats appréciables après une imposition des mains de cinq à dix minutes, faire, de la main droite — les doigts allongés sans crispation — une rotation du poignet sur la surface du mal, une cinquantaine de fois (compter de 1 à 50). Plusieurs patients font alors l'expérience d'un courant intérieur bienfaisant. Certains ressentent un relâchement de la tension. Après cette passe circulaire, imposer à nouveau les mains pendant trois à cinq minutes. On constatera une amélioration appréciable, sinon la disparition complète du mal. Cette rotation produit souvent un « courant électrique » bienfaisant, qui recharge le magnétiseur en quelque sorte. Vous le constaterez après en avoir fait l'expérience.

Cette rotation du fluide magnétique aura augmenté l'intensité du fluide personnel du magnétiseur. Rappelons cependant une chose :

Pendant qu'on fait les passes, même s'il est bon de se concentrer afin d'essayer de percevoir les signes de détente du sujet, on n'a pas à dire de prières ni — ce qui est pire — prétendre qu'on en

> *dit. Le magnétisme est l'agent guérisseur. Toute prétention contraire est de la fumisterie.*

Loin de moi l'idée de vouloir faire un sermon. Je ne veux que recommander de fuir comme la peste les fumistes qui prétendent guérir et qui font croire à ceux qui leur font confiance qu'ils récitent des prières ou font des incantations en faisant des passes, ou invoquent un esprit qu'eux seuls connaissent. Il faut être assez loyal pour dire à ceux que l'on aide qu'on n'a aucun don spécial, qu'on a tout simplement appris à magnétiser. En fait, plus le magnétiseur sera simple et franc, plus il aura de succès.

CHAPITRE VIII

Comment vaincre les mauvaises habitudes : le tabagisme, l'alcoolisme, etc.

« Je suis sûr de moi, je peux influencer mes sujets. »

Un sujet magnétisé sera réceptif aux suggestions qui lui permettront d'en finir avec l'alcool, la cigarette, la nervosité, les traumatismes, les phobies, etc. Il n'y a pas une pilule, un médicament, qui peut faire disparaître ces mauvaises habitudes, traumatismes ou phobies. Il est important toutefois de ne pas jouer au médecin en ordonnant au sujet de cesser de prendre tel ou tel médicament. Le magnétisme peut réussir des choses extraordinaires, mais ce n'est pas une technique absolue et miraculeuse. Il faut agir — je le répète — avec une très grande prudence, avec sobriété, en gardant le sens de la mesure.

Il est impossible de préparer des textes pour chaque traumatisme, phobie ou mauvaise habitude. Une bonne philosophie de la vie, une grande dose de gros bon sens, voilà des qualités essentielles pour arriver à obtenir des résultats contre les maladies psychosomatiques.

J'ai cru utile d'inclure un texte qui pourrait servir de base pour faire des suggestions pouvant amener des changements dans le comportement de ceux qui le voudront bien et accepteront les suggestions que vous ferez. Bien sûr, chacun a un style, un vocabulaire, un langage qui lui est propre, mais le texte qui suit a été utilisé avec succès maintes et maintes fois. Vous pourrez vous en inspirer avantageusement.

Lorsque le sujet est en état de grande léthargie, de grande relaxation, vous pouvez alors lui faire des suggestions positives qui l'aideront à vaincre certains problèmes. Il est facile pour quelqu'un qui ne boit pas et qui ne fume pas de dire aux autres que la seule et unique façon de se débarrasser de ces problèmes est de mettre le paquet de cigarettes ou la bouteille de côté. Mais pour ceux qui sont bien ancrés dans ces mauvaises habitudes, c'est autre chose.

Je voudrais ouvrir une parenthèse : les mauvaises habitudes que vous voulez faire disparaître par la suggestion ne sont pas toutes également nuisibles. Bien sûr, le fumeur a contracté une habitude exécrable, mais le tort qu'il cause est surtout limité à sa personne. Il en va autrement d'un alcoolique qui détruit sa propre vie et affecte de façon importante la vie de tous ceux et celles qui l'entourent.

Ajoutons qu'il ne faut pas trop s'apitoyer sur le sort d'un alcoolique, car ce serait entrer dans son jeu et lui permettre d'être plus égoïste encore. Il est bon de vous rappeler qu'un alcoolique ira à des extrêmes incroyables pour la dive bouteille et entraînera dans le malheur tous ceux et celles qui lui feront confiance. Son égoïsme est sans borne et, en général, ses larmes ne servent qu'à vous apitoyer. Ce sont des larmes de crocodile ; il ne faut pas vous y laisser prendre.

Voici un texte que vous devez lire lentement, d'une voix monotone et monocorde, en insistant davantage sur les passages en italique. Il faut que votre sujet reçoive la suggestion et l'accepte. Agir autrement serait une perte de temps, d'efforts et d'énergie.

Une fois que vous avez bien magnétisé votre sujet à l'aide des passes expliquées ci-dessus, vous commencez vos suggestions comme suit :

> « Vous avez décidé de ne plus boire (ou de ne plus fumer). Vous avez décidé d'en finir une fois pour toutes avec cette mauvaise habitude. Vous avez pris une décision intelligente. Cette décision adulte est un engagement envers vous-même.

Vous allez respecter cet engagement. Fini de boire (ou de fumer) une fois pour toutes. Fini pour toujours de vous torturer, de vous inquiéter avec cette mauvaise habitude qui vous ennuie et vous nuit. C'est une chose, une attitude du passé. Vous ne voulez plus boire. Vous ne le ferez plus. C'est votre désir, votre volonté bien arrêtée de respecter cet engagement d'honneur que vous avez pris envers vous-même. C'est pourquoi vous allez être indifférent à l'avenir face aux faux désirs causés par l'alcool. Vous êtes heureux, content et satisfait de vous voir dans l'avenir. Un avenir sans alcool. L'avenir que vous désirez, que vous souhaitez et que vous allez réaliser. À chaque fois, à l'avenir, que vous aurez le faux désir, le faux besoin de boire, vous direz la phrase : « Je suis calme et je me détends », sept à dix fois mentalement, et vous chasserez ces faux désirs, ces faux besoins. Quand vous direz cette phrase une quinzaine de fois mentalement, en état de détente, vous deviendrez aussi calme et détendu que vous l'êtes actuellement et vous vous endormirez, si vous le voulez, quand vous le voudrez, au moment où vous voudrez, pour la période de temps que vous voudrez. Vous êtes bien calme, relaxé et détendu, déterminé à exercer ce contrôle mental qui vous permettra de vous débarrasser une fois pour toutes de cette chose inutile qu'est la boisson. Vous avez pris une décision pleine de bon sens. Vous ne voulez plus boire, vous ne boirez plus. La boisson est un poison, un poison mental, un poison physique. Vous ne voulez plus être torturé par ce poison. Vous avez décidé de ne plus empoisonner votre corps.

Je veux que chaque nerf, je veux que chaque cellule, je veux que chaque muscle de votre corps sente que l'alcool est un poison. Vous sentez ce poison en vous, vous le ressentez dans votre estomac, dans votre gorge, votre bouche. Et vous répétez mentalement avec moi :

> « Je ne veux plus empoisonner mon corps, je ne veux plus être ennuyé par cette mauvaise habitude qu'est l'alcoolisme. Jamais plus je ne m'empoisonnerai. »

Vous êtes heureux, content, satisfait d'avoir enfin posé le geste qui s'impose pour vous débarrasser d'une mauvaise habitude qui vous a ennuyé depuis si longtemps. À chaque fois à l'avenir que l'on vous offrira à boire, vous direz : « Merci, je ne bois pas. » On ne questionne pas quelqu'un qui ne boit pas.

La seule et unique façon de supprimer cette mauvaise habitude, c'est de ne pas en parler. Ce n'est ni un acte de bravoure, ni une chose extraordinaire que vous accomplissez aujourd'hui. C'est un geste normal, posé par une personne normale. Ce qui est anormal, c'est de boire (ou de fumer). C'est pourquoi vous êtes heureux et satisfait de pouvoir vous imaginer, dans l'avenir immédiat, aujourd'hui même, demain et dans les jours qui suivent, libéré de cette mauvaise habitude, de cette chose parfaitement inutile, de ce poison qu'est l'alcool.

La phrase « Je suis calme et je me détends » vous servira à chasser les faux désirs et les faux besoins que vous pourriez ressentir si le poison refait surface. C'est pourquoi vous vous en servirez pour chasser ces faux désirs, ces faux besoins, en la répétant de sept à dix fois mentalement. Vous deviendrez indifférent à cette chose totalement inutile qui s'appelle l'alcool.

Afin de vous détendre et de vous endormir si vous le désirez, vous n'aurez qu'à redire cette phrase une quinzaine de fois en état de détente, et vous deviendrez alors aussi calme et détendu que vous l'êtes actuellement. Vous êtes bien calme, bien détendu. Et lorsque vous ouvrirez les yeux, vous serez aussi calme et détendu que vous l'êtes actuellement, pour les heures à venir. »

Après avoir fait ces suggestions, vous demandez à votre sujet d'ouvrir les yeux. Si vous constatez qu'il demeure dans un état de léthargie, dégagez le magnétisme.

Vous avez sans doute remarqué, à la lecture de ce texte, que la suggestion est toujours la même, répétée de façon différente. C'est ainsi qu'il faut procéder, car même si votre sujet est dans un état de magnétisation profonde, il ne faut pas oublier que pendant que vous faites vos passes et vos suggestions, son esprit vagabonde. Très peu de personnes réussissent à se concentrer pendant plusieurs minutes — notre monde étourdissant n'est pas propice à la concentration. C'est pourquoi il faut répéter plusieurs fois les mêmes suggestions. De cette façon, on réussit à faire pénétrer dans le cerveau du sujet et à y enregistrer le message qu'il a choisi d'entendre. Ce message comprend des suggestions positives et, de plus, il contient un élément d'autohypnose, c'est-à-dire que la somnolence que vous avez obtenue pourra être accessible à votre sujet s'il se sert de la phrase qui est, en somme, un « signal » qui lui permettra de reproduire cet état d'autorelaxation. Vous devriez l'utiliser avec tout le monde.

Des textes aussi complets et pratiques que ceux que vous venez de lire ne remplacent pas l'apprentissage auprès d'un spécialiste ou d'un technicien en la matière. Mais en suivant bien les renseignements et les explications — que nous avons voulus les plus simples possibles —, vous devriez arriver à des résultats étonnants.

Comme vous pourrez le constater, ce texte peut servir à faire disparaître à peu près toutes les mauvaises habitudes. Bien sûr, il peut être modifié, mais nous croyons qu'il comprend tout ce qu'il faut pour faire réagir votre sujet.

CHAPITRE IX

Vivre calmement, contrôler ses nerfs et se libérer

« La foi est la force de la vie. »

Le mal de notre temps, c'est le stress, la nervosité. Après avoir magnétisé vos sujets, et alors qu'ils sont en état de grande détente, de grande réceptivité, vous pouvez les aider en leur faisant des suggestions positives (pour lesquelles vous avez au préalable obtenu leur consentement).

Plusieurs vous diront qu'ils manquent de volonté, qu'ils ont essayé plusieurs fois de changer quelque chose à leur comportement, de se débarrasser d'une mauvaise habitude, mais sans succès. Il ne faut surtout pas les accabler ni les blâmer de ne pas avoir réussi. Au contraire, il est bon de minimiser l'échec, et leur faire comprendre que certains peuvent facilement cesser de fumer, par exemple, mais qu'ils n'arriveront pas à cesser de manger. Car il faut être réaliste et accepter que nous ne sommes pas capables et que nous ne serons jamais capables de réussir parfaitement tout ce que nous voudrions réussir.

La patience, la compréhension, la douceur et le calme doivent émaner de votre personne. Vous ne devez jamais juger les gens qui se confient à vous. Vous ne devez jamais, au grand jamais, prendre l'attitude du juge, être celui ou celle qui décidera si Madame X ou Monsieur Y doivent briser leur mariage et divorcer. Il faut agir avec prudence et pondération, en vous souvenant que vous êtes là pour aider et non pour pontifier ni tout régenter.

Vous pouvez aider ceux qui désirent améliorer leur vie. Les quelques textes qui suivent peuvent servir de modèles de suggestions pour influencer favorablement les sujets qui voudront bien vous écouter. Ils pourraient servir de base à la préparation de textes plus élaborés et plus personnalisés.

> « Vous avez décidé d'avoir confiance en vous, ce qui va vous permettre d'avoir ce que vous voulez en tout temps, quelles que soient les circonstances, quoi qu'il arrive. Vous avez décidé d'être capable

de faire face à n'importe quoi, n'importe quand, et vous allez y arriver. La première chose à faire, ce n'est pas de demander aux autres de changer, mais de les accepter tels qu'ils sont, d'être capable de ne pas crier après eux. Vous ne criez plus jamais après personne, c'est une chose finie, passée, oubliée. Pour être calme, pour avoir de l'assurance, de la confiance en soi et le sens de la mesure, le respect d'autrui, il faut être capable de parler doucement, calmement, en tout temps. Pour y arriver, vous devez vous servir souvent de la phrase :

« Je suis calme et je me détends. »

Chaque fois que vous aurez des angoisses, de la nervosité, chaque fois que vous sentirez le stress de la vie, chaque fois que vous vous sentirez mal dans votre peau, vous penserez à dire mentalement, de sept à dix fois :

« Je suis calme et je me détends. »

Où que vous soyez, au travail, à la maison, dans la rue, n'importe où, chaque fois, à l'avenir, que vous vous sentirez mal dans votre peau, vous allez penser à dire mentalement, sept à dix fois :

« Je suis calme et je me détends. »

(Bien sûr, quand vous direz cette phrase au travail, à la maison ou en auto, vous garderez les yeux ouverts.) Cette phrase chassera vos pensées négatives. Il est inutile de vivre dans le passé. Ce qui compte pour vous, c'est le présent et l'avenir.»

«Vous avez décidé de ne plus être nerveux, de ne plus être angoissé, de ne plus avoir peur, de ne plus être inquiet à propos de tout et de rien. La chose importante à faire, c'est de vous dire que vous n'avez pas de temps à perdre à vous apitoyer sur les malchances que vous avez pu avoir dans la vie. Il ne faut pas non plus être bonasse. Il ne faut pas vous laisser marcher sur les pieds. On ne peut jamais être trop bon, mais on doit être ferme. La bonasserie n'a pas sa place. Vous devez avoir une attitude positive.»

«Oui, c'est une perte de temps, un gaspillage d'efforts que de passer son temps à toujours ressasser ses malchances, à se demander pourquoi on est mal dans sa peau. Ce qui est important, c'est d'effectuer le changement et d'arriver à ce à quoi l'on veut arriver, de réussir ce que l'on veut réussir, d'être bien dans sa peau, d'être capable de faire face à n'importe quelle situation, d'être capable de rencontrer n'importe qui, n'importe quand. Avoir de la confiance en soi, cette confiance dont on a besoin pour vivre de la façon dont on veut vivre. Mais pour cela, il faut absolument mettre de côté le négativisme. Il ne faut pas perdre son temps à être négatif. Il faut se concentrer sur le présent et l'avenir pour être capable de faire face aux obligations, à toutes les obligations, à celle, entre autres, de ne pas se cacher derrière certaines raisons ou certaines attitudes en vue d'éviter de faire ce que l'on doit faire.»

« C'est pourquoi vous ne devez pas vous laisser bafouer, vous ne devez pas être bonasse. Vous ne devez pas non plus crier après les gens. Afin d'être respecté, vous devez être toujours respectueux envers les autres. Pour être respecté, il ne faut pas non plus vous laisser aller à des excès de langage. Vous ne devez pas blâmer les autres. Il peut arriver qu'ils vous comprennent mal, mais ce qui est important, ce qui va vous permettre de corriger la situation, c'est de faire l'effort pour chasser les idées négatives, pour être vous-même, pour retrouver le contrôle que vous avez déjà eu sur vous-même. Ce contrôle que vous voulez avoir, vous l'aurez. Cela s'acquiert avec de la confiance en vous-même et non pas en disant: "Je n'y arriverai jamais." N'importe qui peut y arriver, avec de la confiance. N'importe qui peut se contrôler, c'est une question d'entraînement. » La phrase

« Je suis calme et je me détends. »

fait partie de cet entraînement. Plus vous allez vous en servir, plus vous allez être fort, plus vous allez pouvoir vous débarrasser de ces moments d'angoisse, de nervosité, d'inquiétude, d'anxiété. Souvenez-vous: c'est un genre de pilules dont vous pouvez vous servir au moment où vous voulez, et aussi souvent que vous le voulez. Personne ne sait que vous êtes en train de dire « la phrase ». Vous la dites mentalement. Il n'y a pas de gêne à le faire. De toute façon, maintenant que vous retrouvez confiance en vous, vous n'avez pas à être gêné. Il faut vous contrôler. Vous allez vous servir de votre « phrase-signal ». Vous l'enregistrerez bien dans votre subconscient :

« Je suis calme et je me détends.
Je suis calme et je me détends. »

« Vous allez dominer l'impatience, l'irritation, l'emportement, l'agressivité, et garder dans vos propos une mesure suffisante pour impressionner favorablement vos supérieurs, vos égaux et vos surbordonnés. Être avide de calme, c'est parler posément, distinctement. Ne jamais précipiter le langage, parler calmement, sans crier, être certain que chacun comprend clairement ce que vous dites. Être avide de calme, c'est avoir une présence apaisante, un calme extraordinaire, qui sont un agrément, et même un sédatif auprès des gens plus nerveux. Être avide de calme, c'est vous rendre compte que, lorsque vous êtes là, les autres sont contents. C'est ne pas vous laisser envahir par des suggestions contraires à vos idées, même si ces suggestions viennent de personnes que vous aimez beaucoup. Ne pas vous laisser imposer une conviction sans certitude véritable. »

« Les imprévus, les contretemps, les déconvenues inévitables de la vie n'ébranlent pas la personne qui est avide de calme. Un bruit soudain ne la fait pas sursauter. La personne qui est avide de calme s'éloigne de la source du bruit ou éloigne d'elle le bruit incommodant. Être avide de calme, c'est ne pas gaspiller ses énergies en se lamentant sur son sort, en ennuyant les autres avec ses redites inutiles. C'est prendre froidement les dispositions nécessaires pour arriver à ce que l'on désire. Non pas par calcul mesquin, mais parce que vous voulez être heureux, content, satisfait, bien dans votre peau.»

«Dominer l'impatience, l'irritation, l'emportement, l'agressivité, c'est de première importance. Pour être bien dans votre peau, vous devez chasser l'agressivité. Pour être bien dans votre peau, vous devez chasser l'impatience. Pour être bien dans votre peau, vous ne devez pas être irrité à n'importe quel moment et à propos de n'importe quoi.»

«Vous n'avez pas le droit d'être agressif. C'est l'agressivité qui cause le stress, l'angoisse, l'anxiété, les inquiétudes injustifiées, la nervosité. Vous êtes capable de vous contrôler.»

«En présence des autres, vous ne serez pas plus empressé qu'il n'est nécessaire, vous n'exagérerez pas vos sentiments. On pourrait même ajouter malicieusement que vous ne ferez pas montre de snobisme, que vous allez prendre les autres tels qu'ils sont, que vous allez être aussi naturel que possible.»

«Vous allez être en mesure de dominer l'impatience, l'irritation, l'emportement, l'agressivité, de garder dans vos propos la juste mesure afin d'impressionner favorablement vos supérieurs, vos égaux ou vos subordonnés.»

«Être avide de calme, c'est aussi avoir une démarche posée, relaxée, où l'on sent le contrôle de ses nerfs, où l'on sent que la personne qui est devant soi est calme. »

« C'est votre désir et votre volonté de réussir à vous contrôler, à contrôler vos angoisses, vos inquiétudes, votre nervosité, et réussir à chasser de votre esprit les pensées troublantes ou négatives. »

« Bien sûr, il y a des choses en vous-même qui vous déplaisent. Il y a des choses que vous n'aimez pas en vous-même, d'accord. Mais vous n'avez pas le droit de vous détester. Comment peut-on aimer les autres si on se déteste soi-même ? C'est absolument impossible. »

« Votre présence sera apaisante pour les autres, elle sera même un tonique pour eux. Cela leur fera plaisir que vous soyez là. C'est cela que vous allez réussir, parce que tel est votre désir, telle est votre volonté. »

Ces suggestions pourraient également être enregistrées sur cassette pour votre propre bénéfice. Après avoir fait les exercices de relaxation suggérés au chapitre IV, vous pouvez écouter certaines de ces suggestions pour vivre plus calmement et vaincre le stress.

CHAPITRE X

Radiesthésie et sourcellerie

« Fais le bien et passe ! »

La radiesthésie ou la sourcellerie — je parle de « sourcellerie » et non de sorcellerie — est un art qui nous permet de percevoir les ondes subtiles que dégagent tous les corps vivants. Vous vous dites peut-être : « Mais que vient faire la radiesthésie dans le magnétisme ? » C'est très simple : l'un et l'autre sont des capteurs d'ondes. L'opérateur en radiesthésie ou en sourcellerie procède à l'aide d'un fil auquel est fixé une boule ou un anneau, le fil faisant office d'antenne. Certains utilisent une baguette flexible de coudrier.

La manière de procéder est la suivante : tout d'abord, disposer d'une longueur de fil appropriée et y suspendre un poids, une boule ou un anneau. Tenir le fil entre le pouce et l'index en s'assurant que le bras n'est pas crispé, mais détendu. Ensuite, tenir le pendule immobile au-dessus du bras ou de la main. Le pendule ne tardera pas à bouger, selon la réceptivité du sujet. Vous devez d'abord convenir d'un code, c'est-à-dire que vous vous entendez avec votre pendule en quelque sorte. Dans l'affirmative, le pendule ira dans le sens des aiguilles d'une montre. Dans la négative, il ira dans l'autre sens. S'il ignore la réponse, il bougera perpendiculairement. Une fois cette entente conclue avec votre pendule, vous pouvez commencer à vous en servir.

Pour arriver à de bons résultats, il faut que votre état mental soit calme et que les questions que vous posez soient claires et précises. Une fois votre calme intérieur assuré, vous pouvez poser des questions précises, en vous servant d'une planche anatomique, par exemple. Au préalable, vous devez balancer votre pendule perpendiculairement au-dessus de votre sujet. Vous demandez mentalement : « Cette personne souffre-t-elle d'un mal organique ? » et vous placez votre pendule au-dessus de chaque partie du corps, sur la planche anatomique. Vous pourrez obtenir une réponse dans bien des cas. Si vous n'avez pas de planche anatomique, faites coucher votre sujet et passez votre pendule au-dessus de chacune des parties de son corps. Vous obtiendrez des réponses selon le code déjà établi.

Si la personne croit que ses troubles sont psychosomatiques, vous pouvez prendre contact avec elle par l'intermédiaire du pendule, puis placer ce dernier entre son pouce et son index. Vous posez alors la question : « Votre mal est-il d'origine psychosomatique ? » Le subconscient répondra par l'affirmative ou la négative, selon l'oscillation du pendule.

Cette façon de procéder peut être précieuse pour le magnétiseur. De nos jours, les sourciers se servent encore d'un pendule pour trouver de l'eau dans les montagnes.

La meilleure façon de vous convaincre de l'efficacité de cette technique, c'est de l'essayer. Vous serez enchanté du résultat ! Pour acquérir une certaine confiance en vous-même et dans votre pendule, essayez les exercices suivants.

Sur une feuille de papier, inscrivez les lettres M, pour homme et F, pour femme. Prenez votre pendule et mettez-le en contact avec un homme ou une femme en le faisant bouger de façon perpendiculaire au-dessus du bras de la personne. Ensuite, placez votre pendule au-dessus des deux lettres, M/F, et vous le verrez répondre en oscillant en direction du M ou du F, selon le cas.

Pour vous convaincre davantage, prenez trois verres. Dans le premier, mettez de l'eau et laissez les autres vides. Prenez contact avec le verre rempli d'eau. Ensuite, demandez à une autre personne de mêler les verres et de les cacher à votre vue à l'aide de cartons. Placez ensuite votre pendule au-dessus des verres. Vous constaterez qu'il oscillera dans le sens positif lorsqu'il sera au-dessus du verre rempli d'eau. Il sera négatif dans les deux autres cas.

Ces expériences valent la peine d'être faites : elles vous permettent de constater qu'un pendule peut être utile et serviable et qu'il n'est pas un objet mystérieux à l'usage des charlatans. Bien sûr, vous pouvez vous acheter un pendule au lieu de vous en fabriquer un. Dans les deux cas, gardez votre pendule et ne le prêtez pas, car il ne fonctionnera pas aussi bien : vous lui aurez transmis votre fluide magnétique, il sera donc une extension de votre personne. Si vous voulez approfondir vos connaissances et utiliser cette technique, il y a de très bons livres sur le sujet.

J'espère que les expériences mentionnées ci-dessus vous auront donné le goût d'en savoir plus et que vous ferez l'effort d'étudier cette technique plus à fond.

CHAPITRE XI

Les rayons telluriques et la géobiologie

« La destination de l'homme sur terre
n'est pas le bonheur,
mais le perfectionnement. »

Que représentent les rayons telluriques? D'abord, il serait opportun de rappeler que les anciens Égyptiens connaissaient déjà l'influence des rayons émis par la terre. La géobiologie est une façon moderne de constater les effets des rayons telluriques. Elle étudie l'influence du sol sur les hommes, les animaux ou les plantes. Notre santé peut, en partie, dépendre de l'emplacement précis où nous vivons et surtout des lieux où nous travaillons et dormons. En effet, comme le prouvent les recherches géobiologiques, plusieurs problèmes modernes tels que l'insomnie, le cancer, les troubles cardiaques et circulatoires, la fatigue chronique, etc., peuvent être des maladies de l'habitat. Certaines maladies cancéreuses en particulier seraient dues en bonne partie à l'habitat.

Les rayons telluriques forment un ensemble invisible qui peut être détecté en faisant un quadrillage orienté magnétiquement dans les directions nord-sud et est-ouest. Ces rayons peuvent former un « mur invisible » à tous les 2,50 mètres environ. Entre ces murs, se trouve une zone neutre sans perturbations : c'est l'endroit idéal pour y vivre. Un simple appareil en laiton ou en cuivre, long d'environ 50 centimètres peut détecter les croisements telluriques. L'appareil ne traversera pas ces rayons. Il ne restera pas droit devant vous : il tournera carrément, c'est-à-dire qu'il ne pointera plus vers l'avant, mais ira soit à gauche, soit à droite.

Avec une boussole, trouver le nord, ensuite marcher en partant du sud au nord, ensuite de l'ouest à l'est. Après avoir arpenté chacune des pièces de votre maison, vous saurez où se trouvent les croisements telluriques négatifs. Vous installerez alors votre ameublement de façon à ne pas être dans une de ces zones. J'entends déjà les sceptiques : « Encore une histoire de charlatans!» Attention! Plusieurs expériences ont été faites, en particulier celle du Dr J. Picard, à Moulins (France).

Le Dr Picard avait observé dans un quartier bien délimité, qu'on trouvait un ou plusieurs cas de cancer dans chaque maison. Pourquoi spécialement dans ce quartier ? Les expertises géobiologiques ont démontré que les cancers souvent mortels se développaient surtout là où des nœuds de rayons telluriques correspondaient à l'emplacement du lit du malade. Plusieurs expériences ont prouvé que les mauvais effets des croisements telluriques étaient amplifiés par la présence de cours d'eau souterrains et de failles dans le sol. Ces recherches ont démontré que certains cancers et maladies cardio-vasculaires peuvent dépendre du lieu que nous habitons.

De plus, le professeur K. Bachler, professeur de mathématiques, a appuyé sa thèse sur plus de mille observations, échelonnées sur 30 ans. Les élèves placés au-dessus d'un croisement de rayons telluriques devenaient souvent nerveux et étaient freinés en quelque sorte dans leur développement. Il est donc recommandé de changer les élèves de place de façon régulière, afin de ne pas exposer toujours les mêmes aux croisements telluriques. Il est remarquable de constater qu'à chaque rotation des élèves, le travail scolaire s'améliorait.

Dans la Chine ancienne, ces points agressifs et nocifs étaient déjà connus et nommés les « portes de sortie des démons ». Lorsqu'une maison est construite au-dessus d'un cours d'eau souterrain ou d'une anomalie géologique (gaz naturel, faille, etc.), il peut en résulter des tumeurs malignes. Certains animaux sont affectés par les croisements telluriques. Les chiens fuient instinctivement un nœud tellurique. Les porcs auront besoin de plus de nourriture s'ils sont dans des locaux soumis aux croisements telluriques, tandis que les vaches produiront moins de lait et seront victimes d'un plus grand nombre de maladies. Par contre, les chats et les fourmis recherchent ces croisements. Mais il semble que ces croisements aient surtout une influence négative sur la plupart des animaux. Il est aussi important de noter que la foudre tombe presque toujours là où il y a des cours d'eau superposés dans le sol. Elle est attirée par un champ magnétique terrestre puissant. Ces mêmes phénomènes géophysiques sont souvent observés lors d'accidents de la route, car il semble bien qu'ils se produisent avec une plus grande fréquence aux mêmes endroits.

Tous ces exemples ne devraient laisser personne indifférent et devraient nous inciter à fuir les nœuds telluriques. Les médecins du groupe de recherche en géobiologie ont observé dans les villes d'Allemagne que dans les constructions en béton et en acier au-dessus du quatrième étage, il y avait 57 pour cent plus de malades que dans les étages inférieurs.

Les installations modernes sont la cause de plusieurs de nos problèmes de santé. Un seul cordon électrique qui touche le lit peut causer des insomnies et des maux de tête, sans que la lampe soit allumée. Vous ne pouvez imaginer combien les matières synthétiques se chargent d'électricité statique, ce qui a pour effet de perturber le champ électromagnétique et de détruire les ions négatifs de la pièce. Les personnes nerveuses ou sensibles, surtout celles qui souffrent de troubles circulatoires sont particulièrement affectées. Il est recommandé de se servir de vêtements ou d'objets faits de matières naturelles et de rechercher les meubles en bois.

L'appareil de télévision attaque à coup sûr le système nerveux. Il est sage d'être au moins à six mètres du télécouleur, car le jet d'énergie nous traverse de part en part. Le besoin de nous retremper dans la nature est tellement grand qu'à chaque fin de semaine, de nombreux citadins sentent le besoin d'aller se retremper en fuyant, même inconsciemment, les croisements telluriques. Grâce aux connaissances actuelles des causes de maladies dues aux perturbations telluriques, il est recommandé d'essayer de trouver où existent ces croisements et de disposer les meubles de façon à occuper surtout les zones neutres, notamment dans le cas des chambres à coucher, où nous passons 30 pour cent de notre vie. Il est bon d'avoir toujours la tête au nord ou au nord-est lorsqu'on est couché, afin de capter le plus de vitalité possible. Il est étrange de constater combien nous sommes ignorants des effets d'un bon habitat. Il y a 4 000 ans, les empereurs chinois exigeaient une expertise des terrains avant de construire. Les Romains faisaient paître leurs moutons pendant un an à l'endroit où ils avaient l'intention de construire. Au bout d'un an, les animaux étaient abattus et si le foie (le poêle du corps) n'était pas en bon état, ils ne construisaient pas. Aujourd'hui, on pense à l'argent, et au diable l'individu !

Nous espérons que ce bref exposé sur la géobiologie et les dangers des croisements telluriques amènera certaines personnes à réaliser que cette science peut élargir la base de la médecine préventive en annulant les effets négatifs des nœuds telluriques afin que l'homme conserve une plus grande vitalité et cesse de se détruire dans son propre habitat.

CONCLUSION

« Tout est bien qui finit bien. »

Le magnétisme n'est pas absolu et ne saurait être la seule thérapie pouvant guérir tous les maux dont souffre l'humanité. Il n'est pas, et ne peut pas être efficace à 100 pour cent, parce qu'il n'y a rien de parfait sur cette terre. Le grand danger, lorsqu'on se sert de techniques de guérison aussi efficaces que le magnétisme, c'est de s'imaginer que l'on peut tout guérir, même le cancer. Cette attitude cause aux guérisseurs un tort considérable.

Il est donc très important de ne pas vous substituer au centre de diagnostic, ni prétendre modifier les ordonnances médicales : ce n'est pas et ce ne sera jamais votre rôle. La prudence est de mise. De toute façon, en tant que magnétiseurs, vous n'avez aucune affinité avec la médecine, qui s'intéresse surtout à la maladie, alors que vous, vous vous intéressez à la santé. Toute la différence est là. Vous êtes capables de guérir et vous devez vous en tenir à ce rôle. Vous n'avez ni la formation, ni l'équipement pour faire des diagnostics.

Contentez-vous de faire les guérisons que le magnétisme peut faire et vous aurez déjà sauvé de l'intoxication un grand nombre de personnes. Bien sûr, si le mal que vous essayez d'éliminer est causé par une tumeur ou autre chose semblable, vous n'arriverez pas à faire disparaître la source du mal. Les douleurs reviendront et persisteront. Dans ces cas-là, il ne sert à rien d'insister. Vous réussirez tout au plus à soulager un peu votre sujet ou à le troubler, et le mal reviendra rapidement. Ce n'est pas un cas que vous pouvez guérir. N'insistez donc pas devant un cas qui ne relève pas de votre compétence. Mais il faut vaincre le tabou selon lequel on risque d'empêcher la guérison si on soulage le mal. C'est faux et absurde. La plupart des malades tentent de soulager leurs douleurs par des drogues. S'il ne peut guérir, le magnétisme a le même effet de soulagement que les drogues chimiques. Nous devons combattre sans cesse l'industrie des médicaments dont les médecins, et nous, par ricochet, sommes les victimes. Dans son ouvrage intitulé « Soixante ans de pratique médicale », le Dr Stephen Langevin déclare :

> « Je ne veux pas prendre la défense des guérisseurs, mais ils font un bienfait immédiat parce

> qu'ils donnent une charge magnétique humaine, c'est-à-dire humaine, naturelle, assimilable, reconstituante à leurs patients. »

Voilà, en quelques mots, la force magnétique bien expliquée, cette force que l'on rejette pour se servir d'appareils électroniques qui ne font qu'aider le patient temporairement. Sans compter leur coût souvent exorbitant.

Il serait bon de réaliser que la maladie est en train de nous ruiner. Le magnétisme est en chacun de nous et ne coûte rien. Pourquoi alors le rejeter? Vous pouvez et vous devez vous servir de votre magnétisme pour le bien-être des autres et pour votre satisfaction personnelle.

Cet essai sur le magnétisme ne prétend aucunement être un ouvrage scientifique. Il donne simplement un bref aperçu d'une force commune et à la portée de tous les hommes. C'est dans cette optique qu'il a été écrit. J'ai essayé de répondre à une question simple: Pourquoi et quand magnétiser? J'espère y avoir répondu et je souhaite qu'un jour, les esprits soient suffisamment ouverts pour que l'enseignement du magnétisme soit autorisé dans les écoles. Cela éliminerait de nombreux tabous et permettrait aux générations suivantes de savoir que l'on peut vivre et bien vivre sans médicaments et sans drogues.

Achevé d'imprimer
en septembre 1988 sur les presses
des Ateliers Graphiques Marc Veilleux Inc.
Cap-Saint-Ignace, Qué.

COMPOSÉ AUX ATELIERS
GRAPHITI BARBEAU, TREMBLAY INC.
À SAINTE-MARIE-DE-BEAUCE